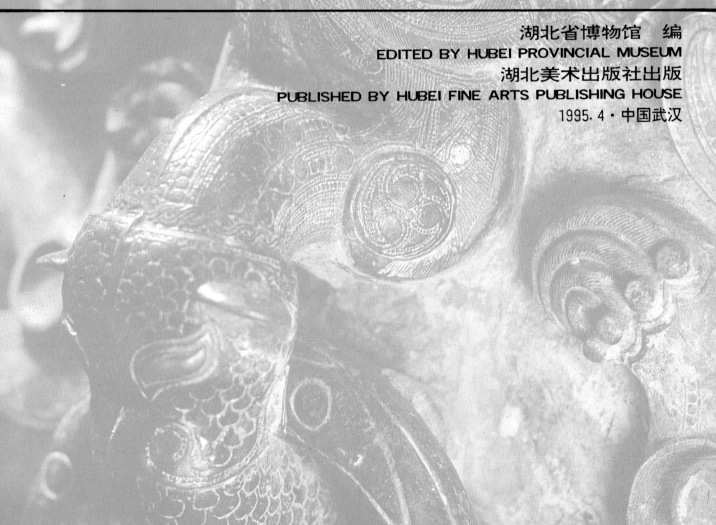

曾侯乙墓文物珍赏

THE HIGH APPRECIATION OF THE CULTURAL RELICS OF THE ZENG HOU YI TOMB

湖北省博物馆　编
EDITED BY HUBEI PROVINCIAL MUSEUM
湖北美术出版社出版
PUBLISHED BY HUBEI FINE ARTS PUBLISHING HOUSE
1995. 4·中国武汉

目　录

CONTENTS

目　　録

序

舒之梅

　　曾侯乙墓以其墓葬规模之宏大、出土文物之精美、文物内涵之深广，早已名扬遐迩。研究和介绍曾侯乙墓的论著因之层出不穷，特别是一些图文并茂、雅俗共赏的图录，问世不久，便即售罄。本馆1991年编撰，由湖北美术出版社出版的《曾侯乙墓文物艺术》，十分畅销，书店里现在已很难见到了。本馆群工部的同志常年从事接待工作，熟悉文物，了解观众，为了更好地在文物与观众之间架起鉴赏之桥，决定以《曾侯乙墓文物艺术》为基础，精选若干照片，再出版一本以图为主，文章为辅，艺术鉴赏性强，印刷质量上乘，价格适中的图录，并取名《曾侯乙墓文物珍赏》。我非常赞成这件事，认为她们做了一件很有意义的工作。

　　本画册收入以彩色照片为主的图版共125幅，文章11篇。因为编撰者比较了解观众的欣赏趣味，照片的采用和文章的选题均有较强的针对性。就拿文章来说，字虽不多（全书约3万字），但覆盖面广，对各类文物皆有综合介绍，以期读者有一个总体上的认识。同时对若干文物精品（曾侯乙墓文物精品颇多，本书专论的只是其中很少的几件），又用专文作比较深入的阐述，以收画龙点睛之效。由于作者常年面对观众口头讲解，文章写得比较自然朴素，很口语化，读来颇为亲切。

　　原《曾侯乙墓文物艺术》的主要编撰者谭维四、吴嘉麟和摄影者潘炳元同志对出版此书倾注了极大热情，从选版到审阅文稿都给予了巨大帮助，表现了老一代文博工作者对后学的关心、提携。本馆美工部青年美术设计师宋秋同志精心设计版式。湖北美术出版社的同志非常支持，从确定计划到书稿付梓只用了很短时间。作为馆长，我谨向上述同志表示衷心感谢！

　　曾侯乙墓文物不仅是我馆藏品之精华，在同一时期的人类文化遗产中亦罕有其匹，它是2400多年前我国科学和艺术高度发达的光辉见证。深入研究它，广为介绍它，是我们为弘扬中华民族文化应尽的光荣职责，我们将为之不懈努力！值此画册出版之际，谨为之序。

（舒之梅/湖北省博物馆馆长、研究馆员）

1995年2月20日于中国·武汉·东湖

考古奇观——曾侯乙墓

李　苓

　　曾侯乙墓位于今湖北省随州市西北郊擂鼓墩的小山坡上，1977 年秋，当地驻军某部在扩建营房时发现该墓。1978 年夏，湖北省博物馆主持对其进行了发掘，证实是一座保存完好、规模巨大的古墓。墓内出土了青铜礼器与用具、兵器、车马器、乐器、漆木器、金玉器、竹简等共 15000 余件，其中不少是罕见的珍品。宏大的墓葬规模、高规格的诸侯葬仪、独具特色的墓葬形制、量大类全工精的随葬器物、井然有序的原葬放置、丰富多样的文字资料，是该墓雄居同期古墓之首的所在，而尤以一套 65 件编钟为最，被誉为建国以来十大考古发现之一。

　　该墓是一座岩坑竖穴木椁墓，依山为陵，凿石为穴，墓内铺石积炭。墓口呈不规则的多边形，方向正南，东西长 21 米，南北宽 16.5 米，总面积 220 平方米，现存墓口至墓底深 11 米。坑底用 171 根巨型长方木铺垫垒迭而成椁室，使用成材木料 378 立方米。木椁顶面依次铺盖一层细篾席、素绢和竹网，椁顶及椁墙四周填塞约六万公斤木炭。木炭层上填青膏泥，再交替夯填青灰土、黄褐土，平铺一层大石板后，仍继续交替夯填青灰黄褐土、五花土直达墓口。

　　椁室分隔成东、中、西、北四个室，各室均有门洞相通。东室置墓主棺和 8 具陪葬棺、一具殉狗棺及大量的漆木器等；中室置青铜礼器、用具、乐器等，举世闻名的曾侯乙编钟即出自该室；西室置 13 具陪葬棺；北室则放兵器、车马器、竹简等。主棺和 21 具陪葬棺内各有一具人骨架。经鉴定，主棺人骨系一 45 岁左右的男性，而陪葬棺人骨则系 13 至 25 岁的女性青少年。那具殉狗棺，正好放在与中室相通的门洞旁，棺内有一具狗骨架。由此可见，东室是墓主与妃妾的寝宫、中室是宴乐厅、西室是歌舞侍女的居室、北室则是贮藏库。整座墓葬"厚资多藏，器用如生人"（桓宽《盐铁论·散不足》），宛如墓主生前宫殿的再现。

　　曾侯乙墓的年代和墓主都确切可考。墓中的青铜镈钟上有 31 字铭文，铭文大意是楚惠王在公元前 433 年得到曾侯乙死亡的讣告，特铸此镈钟相赠以供祭奠。据此可知，公元前 433 年当系该墓下葬年代的上限。结合墓葬形制、随葬器物特征及对木炭的碳 14 同位素检测，断定该墓下葬年代是距今 2400 多年的战国早期。墓内的青铜器上大多有"曾侯乙"三字铭文，共计出现 208 处，如此众口一词，墓主确系曾侯乙无疑。"曾"为国号，"侯"为爵称，"乙"为其名。

　　随葬的青铜礼器与用具有鼎、鬲、甗、簋、簠、豆、壶、盘、匜、立鹤等 38 种 134 件。这些铜器造型美观，纹饰繁缛，其制作除采用传统的浑铸、分铸、焊铆之外，还首次发现熔模铸法。花纹则采用平雕、圆雕、透

曾侯乙墓墓坑全景
An overall view of the Zeng Hou Yi tomb pit

雕成型而铸就,有的还加上铸镶、嵌镶、错金以增其美观,集中反映了先秦时期冶铸科学技术达到了相当高的水平。

兵器有青铜戈、矛、戟、殳、镞,至今仍很锋利,加上皮甲胄、盾、木弓共4700多件。车马器有车軎、马衔、马饰、马镳、马甲及车舆、华盖等共1100多件。其中三戈一矛、三戈、二戈组成的带杆长戟和自铭为"走戈"、"寝戈"、"殳"的兵器以及矛状车軎等属首次发现。

乐器有编钟、编磬、鼓、瑟、琴、笙、篪、排箫共8种125件,其中编钟一套共65件,钟体总重量达2500多公斤。出土时即悬挂在曲尺形的三层钟架上,编排有序,还配备演奏工具——钟槌与钟棒,可供演奏古今中外多种乐曲。其音域宽广,音色优美。每件钟体、挂钟构件及钟架上都有铭文,共3700多字。其内容构成一部先秦古乐典籍,弥足珍贵。

漆木器有案、几、豆、衣箱、食具箱、鸳鸯盒等共230件,均系木胎,斫削或剜凿而成,纹饰图案主要系彩绘,也有浮雕和透雕。彩绘图案以衣箱上的"二十八宿图"、"弋射图"和鸳鸯盒上的"撞钟图"、"击鼓舞蹈图"最为珍贵。

金器有盏、勺、杯、盖、带钩共9件,还有940片金箔、462段金弹簧,含金量在85%至93.6%,用金总量达八公斤多。其中金盏是迄今仅见 的最大的先秦金质容器,重达2公斤多。

玉器有璧、环、玦、璜、琮等25种300余件,无不精雕细刻,尤以龙凤纹玉挂饰最为上乘,此挂饰以五块玉料分雕连接成十六节的一条长带,玲珑剔透,可以折卷,是先秦玉器中仅见之珍品。

竹简240枚,墨书篆字,共6996字,内容性质属遣册,主要记载用于葬仪的车马兵甲。简文详细记录了车马的组成、驭车者的组成、各种车辆的装备以及车马由谁赙赠等,这对了解当时的车马兵器的配置制度、曾国与楚国王公贵族的官阶等级的异同等有十分重要的价值。

曾侯乙墓的发现,为东周考古学研究,包括战国早期墓葬的特征、周代诸侯的葬制等树立了一个可靠的标尺。为湖北地方史尤其是曾国、随国、楚国的关系及我国先秦时期的音乐、科学技术、工艺美术、文字的研究提供了新的资料,弥补了文献记载的不足,有力地促进了众多科研项目向其深度和广度发展,并已取得丰硕的成果。

(李苓/湖北省博物馆群工部主任)

起吊陪葬棺

Lifting up the immolated coffins

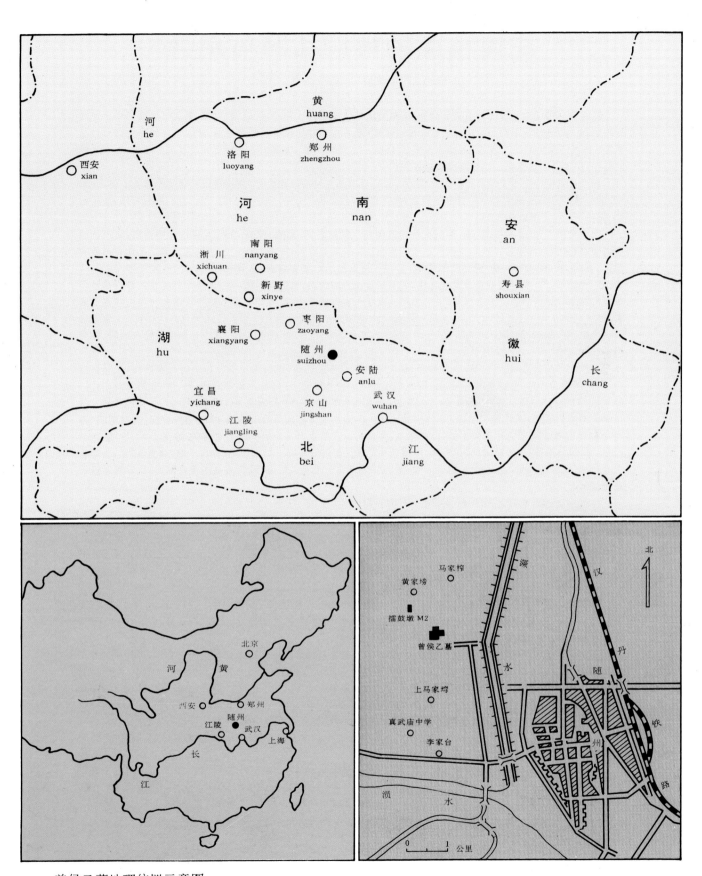

曾侯乙墓地理位置示意图

a sketch map of the geographical position of Zeng Hou Yi tomb

庄重精美的青铜礼器与用具

李 苓

早在距今四千多年前的龙山文化时期,中国就出现了青铜器。历经夏、商、周三代,形成了近两千年之久的青铜时代。在此期间出现过两次青铜文化发展高峰:第一次在商代晚期至西周早期,第二次在春秋晚期至战国早期。曾侯乙墓的时代正值第二次青铜文化高峰期——战国早期。该墓出土的青铜器以其量多类全、型大工精的特色,展现了中国青铜文化登峰造极的辉煌。

曾侯乙墓除出土了大量的青铜乐器、兵器、车马器以及主外棺框架之外,还有青铜礼器与用具134件(礼器117件、用具17件),绝大部分出自墓内中室,保存完好,总重量达2300余公斤。出土时,它们排列有序,成组配套,保持了当年下葬时的放置。

所谓青铜礼器,是特指夏、商、周三代统治阶级用于祭祀宴享、聘赐、赙赠、死后入葬的青铜器皿,有严格的等级限制;青铜用具则是日用品。曾侯乙墓的青铜礼器分为炊食器、酒器、水器三大类:炊食器就是炊煮和盛食器具,有鼎、甗、鬲、炉盘、簋、簠、豆、鼎形器、盒、匕;酒器用于贮酒宴饮,有大尊缶、联禁大壶、提链壶、鉴缶、尊盘、罐、过滤器、勺;水器则是盛水盥洗之器,有小口鼎、匜鼎、盥缶、圆鉴、盘、匜、斗。其中鼎、簋、簠的组合是身份等级的标志。该墓由各自形态相同、大小相同的九鼎八簋四簠组合成"大牢九鼎",正符合墓主曾侯乙的诸侯国君身份(以前认为天子才能用"大牢九鼎",其实,天子是用十二鼎的。参见李学勤:《东周与秦代文明》)。青铜用具有炭炉、箕、漏铲、镇、熏、勾形器、削刀、木柄铜凿、鹿角立鹤,它们的 用途广泛,其中炭炉用于烤火取暖、熏可燃香焚兰以增芬芳、刀和凿是削制竹简木牍以载文章、鹿角立鹤则供观赏。

以上铜器的造型,设计合理,制作精美,讲究整体与局部的协调,既继承了春秋以来的固有形态,又有所创新,有的还颇为奇特,主要表现在局部造型或个别器物的整体变化上。属礼制重器的鼎、簋、簠,其形制与前代一脉相承。酒器趋向大型、实用、精细:两件大尊缶,通高1.26、腹径1米,分别重292和327.5公斤,是迄今最大最重的先秦青铜酒器;两件鉴缶的内部结构实用性强(参见专文);尊盘口沿的透雕附饰,云谲波诡,备极精细(参见专文)。造型最奇特的是鹿角立鹤,前所未见:全器是一只伫立在长方形铜座上的铜鹤,通高1.43米,重38.4公斤。鹤引颈昂首,平展双翅,弓背垂尾,神态逼真。但既是鹤却头插一对铜鹿角,别具一格,寓意深刻。古时鹿代表吉祥,鹤象征长寿,此器集鹿、鹤于一身,更显祥瑞。它出自墓主棺旁,说明墓主生前钟爱之,死后祈其载负登天成仙。

这批铜器的附饰变化多端,颇具特色。许多器物的足、耳、錾、钮等,以动物形态出现,主要有龙、兽、牛、鸟等。其中龙大多作为器耳、錾,兽则多作为器足。如联禁大壶,其耳为龙形,其足则为兽形。此器通高1.12米,重达240.2公斤,却仅以四只小兽为足支承。其兽直立,口衔禁板并辅以前肢平托,后肢蹬地,臀部上翘,形象地表现了四只小兽奋力支撑庞大器物的情景。盖鼎的牛形钮,其牛站立侧首,安详憨然。过滤器为一蜷卧引颈衔斗的怪兽,其兽颈被夸张得很长,却恰好成为此器的长杆。这些动物形附件,无论是做成矮小的器足来支承大型器体,还是塑成大而长的底座来接装小型器物,都能与器物主体协调,显得庄重典雅。

器物纹饰繁缛,题材广泛,约有20种。其中动物纹饰居多,几何纹和植物纹其次。动物纹样以龙最多,且龙的形态富于变化:单体或多体、有角或无角、俯伏或侧屈、蜷曲或缠绕。还有凤纹、云纹、勾连纹、涡纹、弦纹、三角纹以及蕉叶纹、花朵纹等。不少器物通体饰有花纹,仅个别的为素面。

铜器的铸造工艺表现了在传统的基础上有所创新。器物主体多沿用商周以来传统的浑铸法,即将拼合的泥范倒扣再一次浇注,但也出现分节铸法。如大尊缶是将其器作上下两段分铸,再将此两段铸接成全器,接口处被巧妙地以凸箍带纹合缝。联禁大壶的壶体是先分三节铸造再接合的。分节铸法解决了大型器物的铸造难题。此外,还首次发现熔模(失蜡法)铸件——尊盘。器物纹饰的制作主要有三种:一是平雕、浮雕、透雕。此法是用印模随器物主体制范,一次铸成。二是镶嵌和铸镶。镶嵌是预留出器物上花纹凹槽,再嵌填绿松石等物于凹槽;铸镶则是单独铸好红铜花纹,再嵌入器物泥范的相应部位,然后浇注青铜成一整体。三是圆雕或镂雕(指器耳、足和附件的制作)。先单独铸成,再焊接到器物主体上。

这些青铜礼器与用具有铭文的达88件,除一件(过滤器)铭"曾侯乙作时"外,其余全铭"曾侯乙作时用终"。铭文大多位于器物的内壁、内底或盖内,也有在口沿或器物表面上的。大多为铸款(先刻在泥范上再铸出),少数为刻款(直接刻在器物上)。铭文笔画粗细不一却较规范。

透过这批青铜器,我们可以窥见2400多年前的社会生产力和科学文化的发展水平是相当高的,其中不少是令人叹为观止的成就。

先秦古乐　再现辉煌

程丽臻

中国素有"礼乐之邦"的称谓。曾侯乙墓出土的古乐器群体,向人们呈现了战国之初一个诸侯国国君钟鸣鼎食的礼乐场面。这批乐器在墓内的分布情况,大体显现了古代宫廷乐队的建制和布局。绝大部分乐器出自中室,少量出自东室。有钟、磬、鼓、琴、瑟、笙、箫、篪共125件。这些乐器所保留的音响,与大量钟、磬乐律铭文相印证,反映了公元前五世纪我国音乐文化的高度水平,是中国音乐史研究的珍贵资料。

篪,《尔雅·释乐》载:"篪,以竹为之,长尺四寸,围三寸,一孔上出……,横吹之。"据此,人们只知道篪是一种似笛非笛的横吹竹管乐器,但未见实物。直至曾侯乙墓发掘,才使这一古老乐器重新与世人见面。二件彩绘竹篪均以单节竹管制成,一端竹节闭口,一端用物填塞。篪上有五个指孔,一个吹孔,它们呈90°直角。吹奏时,双手执篪,手心向里,篪身横而吹之。按一般指法,可奏五声音阶加一个变化音;按叉口指法可奏出十个半音。篪比笛的音色更加圆润、优美。

排箫,古人称为"参差"。《风俗通》载:"舜作箫,其形参差象凤翼。"此墓出土了二件彩绘排箫,均用十三根长短不一的小竹管整齐排列,加施三个竹夹并经缠缚而成,其上口沿平齐,下部竹管依次递减成单翼形,管的末端全部封闭。出土时,有一件尚能吹八个不同的乐音,这是迄今所发现的最早实物。

笙,《尔雅·释名》载:"笙,生也,竹之贯匏,象物贯地而生也,以匏为之……大笙谓之巢,小笙谓之和,列管匏中施簧管端。"曾侯乙墓出土了6件笙,分别是12管、14管、18管三种,形制与文献相符。笙苗内的竹质簧片大小不一,做工十分精细,框与舌间的缝隙细于发丝,其计算、设计和制作水平令人叹服。

丝弦乐器是宫廷宴乐中不可缺少的旋律乐器,此墓出土的丝弦乐器有五弦琴、十弦琴和瑟。五弦琴形若棒状,琴的岳山很低,共鸣箱小,琴面头部有一个蘑菇形柱,用以拴弦。琴头背面有一个椭圆形的空槽,槽中钻有五孔。此琴形制独特并绘有艳丽的彩绘,琴身髹漆朱绘人物、动物及图案花纹,其中有形象生动的"夏后开得乐图"。《山海经》载:"开上三嫔于天,得《九辩》《九歌》以下……。"琴颈底面所绘珥青蛇,跨双龙登天的人物形象,似为夏后开,他三次上天把音乐带到人间。在琴身两侧还绘有凤鸟图案,共五组,每组十二只。《吕氏春秋·古乐》载"……听凤凰之鸣偷十二律。"传说黄帝的乐官仿凤凰的鸣叫而制定了十二律。古老的传说故事同出于一件乐器之上,可见此乐器的价值。学者们考证它是先秦时期用于编钟调律的音高标准器"均钟"。

瑟最早称为"灑"。曾侯乙墓出土的瑟阵容庞大,它包括整木雕琢、半雕半拼、全部拼板的三代产品。每件瑟造型美观、色彩绚丽。瑟身上以雕、绘结合满饰饕餮主纹及蟠龙纹。最讲究的部分是瑟尾部的浮雕及瑟两侧的彩绘。尾部浮雕着一些相互蟠绕的蛇,由这些龙、蛇组成了一个整体兽面,兽面的目、鼻、口都十分清楚。每件瑟均有25个弦眼,瑟码共1358枚,多为备用。首次出土了形若弯钩的瑟码,它解决了最边一弦因离侧板太近而不易立柱的难题。瑟的音色优美、舒缓。

鼓是世界上最古老、运用最广泛的乐器之一。曾侯乙墓出土的鼓有建鼓、悬鼓和柄鼓。其中建鼓是同类中迄今所见最早的实物,它由一根高320厘米的圆木柱贯穿鼓腔,直竖于青铜座中。青铜座由堆塑着仰首弄尾、穿插纠结的群龙组成,它与钟架磬架的艺术风格十分协调,体现了鼓在整个钟、磬古乐队中的特殊地位。

曾侯乙编磬全套共32件,分二层悬挂,复原的编磬音色优美,音域跨三个八度,比响

亮的编钟益加透明，无怪古人称之为"金声玉振"。磬架为青铜制作，立柱以两个长颈怪兽为座，它集龙首、鹤颈、鸟身、鳖足为一体。一件立柱的龙首口中吐出卷曲长舌上，铭"曾侯乙作持用终"，诙谐而不失典雅。整个造型与编钟铜人柱遥相呼应，有较高的欣赏价值。

在这个庞大的古乐器阵容中，首屈一指的就是被誉为"编钟之王"的曾侯乙青铜编钟。编钟是按大小次第排列成组的打击乐器，它最早是一种礼仪用器。《淮南子·氾论训》载："禹之时，以五音听治，悬钟鼓磬铎置鞀，以待四方之士。"商周以后，编钟不再只是演奏的乐器，而成为了权力和地位的象征。迄今为止，出土的编钟多达百批，数以千计。然而，规模最大、数量最多、保存最好、铸造最精美的就是曾侯乙编钟。全套编钟出自中室，沿中室南壁和西壁呈曲尺形陈放，与北壁陈放的编磬组合，恰好合乎"轩悬"的礼乐之制，为研究周代诸侯这一等级的丧葬制度，提供了一个重要的实例。

全套编钟共 65 件，其中有楚王镈钟一件。出土时分三层八组悬挂在曲尺形的铜木架上。7 根彩绘木梁两端以青铜套加固，由 6 个佩剑武士形铜柱和 8 件圆柱承托，架及钟钩共 246 个构件。上层为三组钮钟，19 件；中层为三组甬钟，33 件；下层为二组大型甬钟，12 件。其中下层一组第一件最大，通高 153.2 厘米，重 203.6 公斤；上层第三组第一件钮钟最小，通高 20.4 厘米，重 2.4 公斤，全套编钟的钟体总重量为 2567 公斤。钟近旁有演奏工具——6 个丁字形彩绘木槌和两根彩绘木棒。

曾侯乙编钟所保留的文字资料极为丰富，是考古发掘中罕见的。在钟体、钟架及钟的挂钩上都刻有铭文，大都为错金，总计 3755 字，内容为编号、记事、标音、乐律，其中以乐律方面的铭文最多。钟铭所见律名 28 个，阶名 66 个。曾侯乙钟铭的发现大大丰富了先秦乐律学体系，弥补了文献记载的不足。曾侯乙全套编钟的总音域从 C^2 到 D_7，中心音域内 12 半音齐备。可以旋宫转调，全部音域中的基本骨干音则是五声、六声、七声的音阶结构，甬钟与现今 C 大调七声音阶为同一音列。全套编钟音色优美，可以演奏采用和声、复调和转调手法的乐曲。

全套编钟最具科学价值的就是"一钟双音"。在编钟的鼓部分别有一个正鼓音和一个侧鼓音，相距三度音程。一钟双音早在西周钟上已见端倪，但还很不成熟。曾侯乙编钟则大大超过前人，且运用巧妙、娴熟，反映了先秦时期我国在物理学、声学和铸造学方面的伟大成就。经科学检测，说明双音的产生取决于合瓦形的钟体。一钟双音的发明和应用，是中国古代乐工师们对世界音乐宝库的重要贡献。

全套编钟的铸造技术和制作工艺极为高超，它集先秦青铜铸造之大成。编钟的铸制要经过设计、制模、作范、合金、浇铸、铸后加工等多道工序。仅一件甬钟就需用范、芯 136 块构成铸型。在铸造技术上采用了浑铸、分铸等。在制模上采用了圆雕、浮雕、阴刻等技术。此外，全套编钟的装饰艺术极为精美。青铜花套上有兽、龙、凤（鸟）、花瓣、几何形装饰等。作为编钟立柱的 6 个铜人，面部雕刻生动，眼、耳、鼻、唇亦十分清楚。铜人双目平视，两唇微闭，头顶横梁，显得神态自若；上肢肌肉粗壮，弯曲向上托举横梁，如一个力举千钧的武士，加之腰佩铜剑，更显得威武雄壮。整个铜人比例恰当，裙带配置协调，实为不可多得的艺术珍品。

曾侯乙墓出土的乐器，种类之全，数量之多，制作之精，保存之好，实属罕见。它全面体现了我国先秦音乐艺术的高度水平。许多早已绝世和失传的乐器，一经发掘和复原，又重新再现风采，应用在当代文艺园中，闪烁着夺目的光彩。

华美实用的漆器

胡伟庆

漆器的制作和使用，在我国有着悠久的历史。人们在浙江余姚河姆渡村新石器时代遗址中，就已经发现距今六千多年的朱漆木碗。春秋战国之际，作为日常生活用具的漆器日益受到世人的青睐，其制作工艺也得到了突飞猛进的发展。曾侯乙墓漆器恰好反映了这一时期漆器发展的面貌。

曾侯乙墓漆器除墓主主棺、22 具陪葬棺、数十件乐器和演奏工具，无以数计的漆甲胄和兵器杆（均有专文论述）外，日常生活用具共 230 件，是我国发现的先秦墓葬中数量最多、保存最好的一批漆器。这些漆器品类繁多，用途广泛：有用于野餐的食具和酒具；盛食盛物的盒、豆、杯、桶、衣箱，搁置物品的案、禁、几、俎，游戏用具小圆木饼和供陈设观赏的漆木鹿等。这批漆器均为木胎，其制胎方法多为挖制、斫制和雕刻。许多器物形体较大、胎壁厚实，风格古朴粗犷。

曾侯乙墓漆器美观实用，许多器物的造型是根据其功用而精心设计的。例如：食具箱和酒具箱就是墓主曾侯乙出行或游猎的野餐用具。食具箱二件，形制相同。一箱装两套铜鼎、铜盒，铜盒恰好置于鼎底之下、鼎足之间；另一箱装铜罐、铜勺、竹笠、漆盒。两件食具箱身和盖上的铜扣上下对应，扣合后可用绳索捆扎，使其牢固。酒具箱横、竖隔成六格，置方盒 4 件，罐形盒一件，耳杯 16 件，木勺、竹笠各二件，箱内还存鸡骨、鱼骨。食具箱和酒具箱将野餐用的食具、酒具和食物容于箱内，结构独特，设计巧妙，携带尤为方便。

曾侯乙墓的许多漆器既是实用器具，也是艺术精品。制作者利用木材的易塑性，灵活运用浮雕、透雕、圆雕等技法，将自己的艺术想象附着于实用漆器上，使之具有较强的观赏性。例如漆禁，禁面由"十"字横梁分成四部分，透雕成几何纹样，面的四边和四角浮雕凸起的双龙和一龙双身的附饰；禁足为雕制的四只抱柱攀援的小兽。这件用于摆放酒具的漆禁造型典雅，雕刻细腻，是先秦漆器中不可多得的珍品。彩绘漆盖豆带有浓重的仿铜作风，其高耸的双耳由浮雕的无数条小龙组合，形成群龙蟠错，或隐或现，在斑斓的纹饰映衬下，豆的双耳远看似袅袅升腾的白云，近视华丽非凡。这组浮雕的附饰与同墓所出编钟上的青铜附饰如出一辙，有异曲同工之妙。还有一些雕刻为动物形象的漆器，形神俱似，栩栩如生，令人叹爱不已：梅花鹿，平首俯卧，头插直鹿角，全身满绘圈点纹，形象逼真、生动；盘鹿，反首盘蜷而卧，头插真鹿角，全身髹黑漆。鹿形漆器雕刻线条流畅，尤其是圆目、鼓腮和饱满的脊肌，都表现出鹿的强健和小憩时安详的神态。

曾侯乙墓漆器的彩绘，色彩艳丽，对比强烈。用笔自然流畅，线条疏密有致。纹饰主要有自然景象的纹样，如云纹、卷云纹、云雷纹、三角形纹、网纹、圆涡纹等；有龙、蛇、鸟等动物纹样，尤以龙纹变化复杂，最具特色。众多的纹样在不同的器物上，有的繁复交错，有的简练单一。

彩绘寓意图画是曾侯乙墓漆器装饰的主要特色，大量的文化史料被形象地保存了下来。这些图画题材广泛，史料丰富，有的描绘古代神话传说，有的与文字相配记载天文图象，有的反映当时现实生活的场景。

一件阴刻有"紫锦之衣"四字的衣箱盖左侧，绘有两组对称的图案：两株枝繁叶茂的大树枝端，绘有象征太阳的花朵，一树九朵，一树十一朵。树上栖立鸟、兽，树下手持弓箭的射手张弓射鸟，大鸟中箭坠落。我国古代流传有天上十日，轮番升落的传说。《淮南子》等文献记载，尧时十日并出，庄稼焦枯而死，人民无以为生。后羿善射，射下九日，为民除害。衣箱盖上的《弋射图》描绘的正是这则后羿射日的神话传说。图中弋射之人当是羿，射中之鸟为日中鸟。

另一件衣箱盖中部朱漆书一象征北斗的"斗"字，围绕斗字，依顺时针方向书写 28 星宿的古代名称。盖的两端绘有苍龙和白虎。这幅图象告诉我们，古人很早就注意到"星移斗转"的现象，并以 28 宿与四象相配来掌握一年中四季转换的规律。这是我国 28 宿与北斗和四象相配的最早记录，反映了古人在天文学上的重大成就。

彩绘鸳鸯盒，整体为一鸳鸯形象，饰有羽毛形纹样，两侧腹部彩绘图画。右侧绘《击鼓舞蹈图》：画面中央画一兽形鼓座，上插建鼓。鼓手双手持鼓槌，武士戴冠佩剑，双臂舒展，翩翩起舞；左侧绘《撞钟图》：画面中央所绘双鸟口衔、腿架两根横梁，上梁悬钟、下梁悬磬。画面右侧，乐师手持长木棒，背对钟磬，撞钟奏乐，姿态轻盈。这两幅图画形象地再现了古代奏乐舞蹈的场面，也给我们认识和重新奏响古代乐器以重要的启示。

曾侯乙墓漆器华美实用，其造型、雕刻、彩绘等方面所达到的高超水平，集中展现了我国古代漆器艺术的卓越成就，为研究中国漆器的发展历程提供了丰富而宝贵的资料。

千戈丛中见稀珍

方　芳

"操吴戈兮被犀甲,车错毂兮短兵接。旌蔽日兮敌若云,矢交坠兮士争先。……"(《楚辞·九歌·国殇》)曾侯乙所处的时代,正是我国历史上动荡的战国时期。当时诸侯割据,群雄争霸,战争频繁,因而各国都非常重视对兵器的研制。曾侯乙墓出土兵器达4700多件,其中大部分出自该墓北室,少数出自东室。不仅有攻击兵器如戈、矛、戟与弓矢等,还有防护兵器盾及甲胄。攻击兵器又有长杆兵器与短杆兵器之分,攻防齐备,长短相配,俨然是一座庞大的武器库。

曾侯乙墓出土的短杆兵器主要是戈。戈是一种格斗兵器,垂直装柄,横刃有锋,作战时既可横击、啄刺,又能后拉勾杀,所以又叫钩兵器,古人称为"句(勾)兵"。戈主要供步兵使用,车兵也可用之。该墓出土戈共66件,绝大部分连秘保存完好。戈秘的长度在1.27—1.32米左右,最长不过1.4米。青铜戈头有大、中、小三种形式,最大一件通长30.7厘米,中等大小的戈最多,戈头长21.5厘米左右,且多数有"曾侯乙之走戈"等铭文。最小的两件戈头,长13—14厘米,其中一件有"曾侯乙之寝戈"六字铭文。寝戈一般为亲信卫士所持,这两件小戈出自该墓东室主棺旁,墓主的棺相当于"寝",故"寝戈"所护卫的必定是墓主曾侯乙。

曾侯乙墓出土的长杆兵器有戟、殳、矛等,为车上武士使用。戟有30柄,分三种形态,一种为3个戈头前带一矛头,可称为三戈带矛戟;另两种为不带矛的三戈戟和双戈戟。三种戟均有铭文,如"曾侯乙之用戟"、"曾侯郧之行戟"、"曾侯逐之行戟"等。据研究,曾侯郧与曾侯逐是曾侯乙的先君。用先君之器葬于后人墓中,这是常事。曾侯乙墓中有的三戈戟上的铭文为错金鸟篆。鸟篆又称鸟虫书,是春秋战国间流行于楚、吴、越等南方国家的一种美术字体。墓中兵器上的鸟篆字形有的似手持兵器的武士,有的似冉冉升空的云烟,变化多端,生动自然。此外,引人注目的是一件三戈戟的戟头上有一由四条灵动的龙两两相对、上下排列而构成的"曾"字形图徽,似郭沫若先生所说的"图形文字",为古代民族的族徽,即族名或国名。此图形造型别致,反映了古代书法家独特的创意。

戟的形制,自汉代以后,众说纷纭,所谓"戟制沉冤二千年"。后将郭沫若先生提出的"戟是戈矛结合体"一说视为定论,认为戟关键在于有"刺"。由于曾侯乙墓中出土了这三种自带铭文的戟,才彻底解决了长期没有弄清的"戟制"问题。《说文·戈部》:"戟,有枝兵也。"戈矛结合为有枝兵,双戈、三戈结合也是有枝兵,因此戟的特点应是"有枝兵"。若只有一件戈头,该兵器只能称为"戈"。戈若与矛或另外的戈结合,就应称之为"戟"。通过对该墓出土的自铭为"戈"和自铭为"戟"的两类兵器对比发现,戈与戟的区别还在于戟杆比戈杆长得多。戈杆最长不过1.4米,而戟杆均长3.3—3.4米左右。作战时二者互相配合,即所谓"长以卫短,短以救长。"

《诗经·卫风·伯兮》有"伯兮执殳,为王前驱"的诗句,可见殳很早就是重要的兵器。但过去都认为"殳无刃"。《考工记·庐人》贾公彦疏:"殳,长丈二尺,无刃,可以击打。"然而此墓却出土了两种形制的殳,一种是无刃的,有十四件,通长3.29—3.40米,两端均有铜套和装饰物,去掉它们正合《考工记》所说的一丈二尺之数,这是文献记载中的殳,在曾侯乙墓竹简中称为"晋杸"。另一种为有刃殳,出土七件,在长杆顶端有两个球状铜箍,殳头有三棱形矛刺,杆通长也是3.29—3.40米,其中三件在一侧刃上有"曾侯郧之用殳"六字铭文。可见当时除了无刃殳之外,还有带刃的殳,这就是弥

补了文献记载的不足。这种三棱矛状的殳可能是当时的一种新式武器。

矛是一种直而尖形的长杆刺兵器，是古代"五兵"中最长的一种兵器。曾侯乙墓出土49件矛，其中一件矛头长22.5厘米，连秘全长2.25米，出自该墓东室。其余矛头均较小，长11.5—12.5厘米，皆出自北室。这些矛的杆长达四米以上，恰是古书中所说的"丈八矛"。

战车作战，交战双方相距较远，只有靠长杆的兵器才能刺击对方。那么，这些长兵器的杆是怎么制作的呢？如果用青铜，既笨重又昂贵，显然不可能；如果用木杆，则缺乏弹性，易断；如果用竹杆，虽有弹性，但易弯。通过研究发现此墓出土的长兵器的杆大多数积竹木秘，即以长木杆为核心，外面包裹竹片，再用丝线缠好，最后在外面髹漆。这样就集中了几种材料的长处，既轻便结实又富有弹性，刚柔相济，可起到刺杀、勾、啄多重作用，其设计科学巧妙，颇费匠心。

弓矢是古代战争中主要的射远兵器，"故言武事者，首曰弓矢。"此墓出土4000多件箭镞，也证明了这一点。该墓出土的弓有55件，皆木质，形制较简单；而箭镞达4507件，是迄今发现最多的一次。连杆完好的有590件，完整的箭长67—71厘米，径0.4—0.7厘米。箭镞有四种形状，绝大多数是三棱形，三棱形箭镞又有无倒刺、三倒刺、六倒刺、九倒刺之别；第二种为双翼形，翼有长、短、宽、窄之分；第三种为方锥形，仅2件；第四种为圆锥形，共20件。后两种缺乏杀伤力，不便于实战，可能是"教练镞"或"投壶矢"。

此墓还出土了防护武器皮甲胄和盾。甲胄又分为人甲和马甲。出土时多已散乱。皮质大多腐烂无存，但漆壳仍保存着甲胄原状。甲胄的制作极讲究，先要把皮按设计剪成一定的形状，模压成型，然后打眼、髹漆、编连成件。组成甲胄的块片，因其所在部位不同而形状各异，故需大量不同的模具。制成一件完整的人甲，往往需要上百副模具和大量的人力及财力。此墓清理出人甲13件，马甲2件。其中1件马胄极完整，由整块皮革模压而成，形似马面，眼、耳、鼻等部位留有孔，内外均髹黑漆，外部还彩绘有多种花纹，非常精美。此墓还出土盾49件，盾面亦为皮质，只留下漆皮及盾柄。

当时作战虽有步兵参加，但战车仍是冲锋陷阵的主力，此墓出土的许多与车战有关的兵器也证实了这一点。墓中出土了76件軎（用以管住车轮的轴头），象征38辆战车陪葬。其中有两件形状与众不同，是带矛的，矛头锋利。一件通长37厘米，另一件通长41.4厘米。它们装于车轴头上，矛叶与地面平行。战车冲击时，可杀伤接近战车的对方步卒和马匹的下肢。此外，墓中还出土数百件马饰，马饰上都贴有金箔，足见当时对战马的重视。

纵观曾侯乙墓出土的兵器及车马器，设计如此之巧，制作如此之精，考虑到当时的生产力水平，我们不能不叹服古代工匠的智慧！欣赏着这些兵器，一副气势恢宏的古代战争的动人画面仿佛浮现在眼前：旌旗招展，万马奔腾；战车上，士兵身着甲胄、手持"五兵"，"远则弓矢射之，近则戈者钩之，然后殳者击之，矛戟刺之。"……。

曾侯乙墓陪葬这些数量巨大、品种繁多的兵器、车马器正好符合曾侯乙作为一个战国国君的身份，为研究这一段历史提供了丰富的实物资料。该墓还出土一些过去从未见到过的兵器，解决了一些长期以来有争议的问题。因此，这些兵器和车马器不仅有很高的历史价值，还有非常重要的学术价值，是不可多得的宝贵资料。

流光溢彩　金玉满堂

杨　蕾

　　金器历来为人们所珍重,这与其稀有难得、光泽艳丽不无关系。早在商代,金质制品已出现。但直到春秋时期,所见到的金器多为金叶、金饰、金币等小型器物。曾侯乙墓出土的金器数量大、种类多,有容器、服饰、附饰三大类。容器共5件,计有金盏1件、漏匕1件、杯1件、器盖2件,均出自墓主外棺的底部;金带钩四件置墓主腰间;附饰类有金箔940片和金弹簧462段,分别出自北室和东室。据检测,这批金器的含金量在85%—93.6%,总重量为8430余克,是迄今为止葬金量最大的一座先秦古墓。

　　墓内出土一件金盏最重,通高11厘米,口径15.1厘米,重2156克。造型美观,全器像个带足的钵,口上设有捉手和三个外卡的盖,口下有两个对称的环耳,盏底有三个矮小的凤首形足。盖面和盏体饰蟠螭纹、绚纹、勾连雷纹。盏内还附一件金漏匕,匕重56.4克。此器华贵典雅,是目前最大最重的先秦金器。金杯虽无纹饰,却以优美的弧线束腰形成口大底小的杯体,再扣上设有三个内卡的盖,别具特色。此杯重789.9克。佩戴金带钩和用金箔贴于器物上以增其色,说明墓主身份高贵、家财富裕。但也有令人费解之处,如两件金器盖,一大一小,均有衔环钮,盖面满饰龙纹、龙凤纹、云纹等,但却只有盖而无器体。又如金弹簧,系案座纺锤形器上的附件。黄金质软而富于延展性,用来制作弹簧,只具簧形而无弹性。用来之不易黄金制有名无实的弹簧,确实令人费解。

　　玉器在中国古代社会极受重视,所谓"古之君子必佩玉……君子于玉比德焉。"(《礼记·玉藻》)。生前佩玉,死后敛玉,成为古人的传统。早在原始社会末期,玉器便被大量使用,并充满神秘的宗教色彩。巫师祭祀天地,驱邪攘灾,无不持玉施法。进入战国时期,祭祀宴享已主要使用青铜礼器,玉器除个别器种用于礼仪外,主要是佩戴以显示身份,成为富贵的象征物,是贵族崇尚奢华的反映。

　　曾侯乙墓出土玉器300余件,主要置于棺内墓主的身上,保存完好,可分为佩饰、实用玉器和葬玉三类。佩饰有璧、环、玦、璜、琮、方镯、佩、挂饰、剑、管、带钩、人像、串饰等。璧共67件,大小不一,形制各异,或圆形或附双龙饰;璜49件,往往成双成对。实际上佩饰类玉器既可佩戴也可用于礼仪活动(祭祀和聘赐等);佩戴时往往将多种佩饰串连成"组佩"使用;礼仪用品则多系璧、璜、玦。实用玉器有鞢、梳、长条端刃器。鞢是套在手指上便于扣弦射箭;梳是理发工具;长条端刃器的作用类似于刻刀。

　　葬玉是专门用于敛尸的玉器,生前不能佩戴,其作用是为了保护尸体。古人相信"金玉在九窍,则死者为之不朽"(葛洪《抱朴子》)。曾侯乙墓的葬玉有琀、口塞、握、片、半琮、残器、璞料共64件。21件琀置于墓主口内;口塞一件,捂住其嘴;握两件,置于双掌中;片21件,列于墓主上半身。据推测墓主是穿着缀玉片的衣服入葬,还可能用缀玉片的布盖脸面。(到了汉代,这种缀玉片的衣服发展成为用金缕或银缕、铜缕穿联的玉衣)。在墓主的尸身上,还发现十多件粗糙的璞料(未经加工的玉材)和残器。墓中所出一件玉半琮,是由一件作废的玉琮改制而成。此琮目前尚属首见。

　　经检测,这批玉器属软玉,可能产自新疆和田。其玉质细腻却均不同程度地带有瑕庇(裂纹或杂质),而其琢玉工艺则具有很高的水平。该墓玉器造型既有扁平体的璧、环、璜、玦、佩饰,也有立体圆雕的人像、动物等。在设计上依玉料形状而定:或一坯制一器,或一坯制两器(如璜、玦往往成对出现)。这是继承商周以来的传统琢玉工艺。其突破之处表现在分雕连接,成功地用较小的玉料制作较大的玉器。最好的例子就是那件十六节活动玉挂饰。此饰长48厘米,宽8.3厘米,厚0.5厘米,是用五块玉料分雕出十六节饰件,另加三个玉质活环和一根玉销钉将其连接成一串,可以折卷拆装。其余连接各节之间的环,则是节内玉料琢成的。同时每一节的雕琢、纹饰也十分讲究。有的透雕成龙,有的透雕成凤,也有的透雕成璧或环,然后在龙和凤的躯体上,细刻嘴、目、角、爪等。除透雕的龙凤外,有的地方还平雕或阴刻有龙、凤、蛇。全器共雕出37条龙、7只凤及10条蛇。它们的形态各异,两两相对。此器玲珑剔透,集多种玉雕技艺于一身,纹饰精美,堪称古代玉器之杰作。此饰出自墓主的下颌,可能是玉缨(帽带)。与这件十六节玉挂饰工艺相近的还有四节龙凤玉佩,此佩是用一块玉料透雕成相连接的四节,折卷自如,佩上雕出七龙四凤四蛇,纹饰线条细若发丝。分雕连接技艺在该墓玉器中有广泛的运用:如金缕玉璜,是用金丝连接两件璜而成;玉剑,分为五节,然后用金属物将各节连接固定成一把带鞘的剑。

　　该墓出土的玉琀,圆雕成牛、羊、猪、狗、鸭、鱼等形象,每件长1.4—2.4厘米,宽0.2—0.6厘米,高0.1—1厘米,器小如豆,形态逼真。每件作品不但雕出其形,还刻画其细部,如牛角、猪鬃、鸭翅、鱼鳍,无不细致入微。

　　曾侯乙墓出土的金玉器种类繁多,用途广泛,制作精巧,琳琅满目。从一个侧面展现了当年王侯的荣华富贵和工匠的高超技艺以及社会生产力、科学文化水平的高度发达,给今人留下了深刻的印象,也说明真正的艺术品是永葆其生命力的。

隆重葬仪的记录

黄小谷

曾侯乙墓竹简共计 240 枚，出自北室，与兵器、皮甲胄同置一处。出土时，由于墓内积水，简上编缀的绳索已朽断，竹简大多散乱，但保存基本完好。竹简每枚长 72—75 厘米，宽 1 厘米左右，先编联后书写文字于篾黄一面。简文为墨书，共 6696 字。字迹大都清晰可辨，字体与已见的战国楚简无异。这是出土的战国竹简中，时代最早，简数和字数较多的一批简。

经过整理、研究，这批简文的内容主要是记载随葬的车马兵甲及其赙赠者，属遣策性质。主要有以下几个方面的内容：

一、记载某人驾御某车，及车上的车马器和兵器。31 号—41 号简载：柘㝬驾御的一辆右橹殿的车上，有红色的车轮（"蕡轮"），遮蔽车箱的竹席（"弼"），鞁（车具）2 件，豻皮做的箭箙 3 件，秦弓 2 件，箭 50 支，三戈戟（一戟三菓）1 件，殳 1 件，画戠 2 件，戈 2 件，以及鞎、鞅、靷等车马具。

二、记载某人驾御的某车上有哪些甲胄。如 129 号—130 号简说：黄孚驾御的一辆名叫𨏥轩的车上，有人甲、人胄各 3 件，有马甲、马胄各 4 件，马甲中"漆甲"3 件、"素甲"1 件。

三、记载车和马为何人赠送，这些马或为服，或为骖，或为骓，共驾某车。如 180 号简说：都牧赠送的骓为左服，孯公赠送的黄为右服，两马并驾一乘名叫朱路的车。

简文记载有车 69 乘（他人赙赠 26 乘，自备 43 乘）、马 205 匹、弓 37 件、矢 1100 件、戟 21 件（包括 47 件戟头）、戈 44 件、殳 7 件、晋殳 9 件、人甲 64 件、马甲 86 件。墓内实际入葬只有车马器而无车马，计有车軎 76 件（象征 38 乘车）、弓 55 件、矢 4507 件、戟 30 件（包括戟头 72 件）、戈 66 件、殳 7 件、晋殳 14 件，人甲与马甲因残损过甚难知其原配件数。可见简文所载与实际入葬的数量有差异，故有学者推断此墓应另配备车马坑以葬车马。

从上述竹简所记的内容，我们不难看出这批竹简有着极为重要的研究价值：

一、有助于我们研究春秋战国时期的葬仪。

我国古代的丧葬制度有严格的礼制规定，在办理王的丧事时，要陈列大批车马兵器，用来护送灵柩入葬，并将一部分车马从葬。《周礼·春官·巾车》载："大丧饰遣车，遂匶之行之，及葬，执盖从车，持旌。及墓，嘑（呼），启关，陈车。"曾侯乙墓竹简所记载的随葬车马兵甲的情况，印证了《周礼》中的有关记载。

二、有助于我们了解当时的车马兵器方面的情况。

简文里记载马的名称很多。如：骓、黄、骍、白、骅、驳、班等，这些马名都是按照马的毛色来叫的，如"黄"，即黄色的马（见《诗·鲁颂·駉》"有骊有黄"，毛传："黄骍曰黄"）；"驳"，即毛色不纯。个别的则可能是采用别的习惯叫法，而与毛色无关，这些马名绝大部分都能在古籍中找到。

简文里记载的车名也很多。如记有大斾、左斾、左橹斾、右斾、大殿、左殿、右殿、右橹殿、少广、乘广、行广、朱路、銷路等共计 40 种，其中有不少见诸文献。如大斾、大殿、乘广均见于《左传》。

简文里记载的兵器中，有"一戟，二果"和"一戟，三果"的文字，前是指一件戟有两个戈头；后者是说一戟三个戈头的多戈戟。"果"与"戈"音相近，大概当时人为了区别于一般的戈，有意把戟上的戈头称为"果"。像这样的戟以前出土过，但却没有把它认作戟，只是此墓发掘之后，根据简文上记载的情况以及出土的器物，才弄清了这样的二戈和三戈同秘的戟。简文里还记有两种殳，一种称"殳"，是有刃之殳，出土有 7 件，其中三件有"曾侯郎之用殳"的铭文；另一种为"晋殳"，为无刃之殳，两端分别有铜镦和铜帽，共有 14 件出土。由此，使我们搞清了这两种殳的形制。

三、为我们研究曾国与楚国的关系提供了重要资料。

从这批竹简所记的内容上来看，当时的曾国与楚国的关系极为密切，在送礼的人当中有楚国的王、大（太）子、命（令）尹、坪夜君、阳城君、旅（鲁）阳君、大（太）宰、少师等。曾侯乙御车者的官衔有宫厩尹、宫厩令、新宫令、右令等，这些官名与楚国的官名相同，可见曾国是采用楚国的官名，并受楚国的影响。

四、为文字学的研究提供了重要资料。

在竹简的简文中可以找到许多与《说文》等书相符合的字形，如简文中的"坪夜君"的"坪"字，"坪"字的"平"旁原作亐，与《说文》篆文亐相符合。再如，简文"席"字多作簏，所从之㡊，跟《说文》"席"字古文𢁉、《古文四声韵》所收《古孝经》"席"字𢁉相较，只不过声旁"石"略有繁省之异。在曾侯乙文字资料里，有不少值得研究的文字现象。

这批竹简的出土，不但为我们了解 2400 年前的葬仪以及当时的车马兵器的情况提供了重要的资料，而且为我们考释曾侯乙墓中出土的大量器物提供了一个重要的依据，为我们研究战国初期的历史和文化提供了不可多得的文字资料。

（七）释文

廄尹之馴爲左飛，大宰之馴爲左驂，豆壬子爲左驌，大首之子爲

（六）释文

茉䇞之少驌爲左驂，牢敏之黃爲左驌，某䇞之大驌爲右驌，邔

（五）释文

之口爲左驂，慶事之馴爲左驌，䣕齮之騍爲右驌，鄝君之

（四）释文

之斂。脕靾，脕耄之聶耴，耄聶一郲弓，三羊，朱

（三）释文

靾，屯璵組之綏脕靾屯脕耄之聶。三襠紫魚彔魚之箙，三貍耄之聶

（二）释文

輂，硐賠，畫秸，儠靮革綏三靬，斂靾，屯璵組之綏脕靼，屯狐聶二襠

（一）释文

貂定之笡，黃金之戲。二戈，紫緅，屯二翼之翺，㞷輨，組珥填。斂

墨书竹简

Bamboo slips in black ink

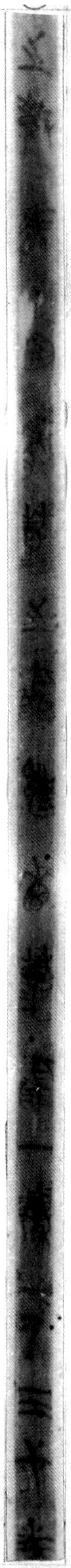

铭记曾楚情谊的重器——镈钟

李爱玲

曾侯乙墓共出土编钟65件，分8组悬挂在钟架上，有钮钟、甬钟和镈钟，尤以镈钟最醒目——它不仅是65件钟中唯一的一件镈钟，并悬挂在下层钟架的中心位置。更重要的它是历史上春秋五霸兼战国七雄之一的大国——楚国的君王赠品，来历非凡，对确定曾侯乙墓的年代与墓主和研究曾、楚关系具有极高的史料价值。

这件镈钟体扁而口平，横截面呈椭圆形。舞顶有复式钮，钮饰为对峙桥联的两对蟠龙（其下一对作伏体回首卷尾、颈间桥联；其上一对则站立相峙、口衔桥联），此蟠龙实际是龙首兽尾，颇具夸张。舞面以"十"字形素带作四等分格，格内满饰浅浮雕蟠龙纹。钲部两侧以浅浮雕龙纹为衬地，各缀五个凸起的圆泡形枚，并作梅花状分布（每面两组，共四组20枚）。正鼓部两面各饰浮雕龙纹。钟壁厚薄不匀，腔内壁磨砺光滑。通高92.5厘米，重134.8公斤，此镈是用复合陶范铸作，与其它钟相同。镈钟两面的钲均呈梯形，其中背面的光洁无纹，正面的钲有篆体铭文31字："佳（唯）王五十又六祀，返自西旸（阳），楚王酓（熊）章乍（作）曾侯乙宗彝，奠（奠）之于西旸，其永旹（持）用享。"铭文中的"楚王酓章"即楚惠王熊章，"返自西阳"即讣告报自西阳，"宗彝"即宗庙里放置的祭器。全文大意是：楚惠王五十六年时，从西阳得到曾侯乙去世的讣告，楚惠王特制宗彝（镈钟）送到西阳去祭奠曾侯乙，希望他永远享用。楚惠王五十六年即系公元前433年，据此可知曾侯乙在这一年去世；楚惠王送的这件镈钟是专为祭奠曾侯乙的。那么，接受楚王赠镈的只能是曾侯乙，即墓葬的主人；曾侯乙既是在公元前433年去世，其墓的下葬时间当在这一年或稍晚，属战国早期；镈钟的性质即系祭器。

宋代湖北安陆曾出土过两件铭文与这件镈钟相同的铜钟，被称为"楚王酓章钟"。可惜其原器已佚，仅存铭文摹本流传下来，说明当时制作了多件这样的钟、镈。先秦时期，一国君主为另一国君主铸赠宗彝，迄今仅此一例；而实物也仅见此一件，弥足珍贵！这件楚王镈钟不仅使曾侯乙墓的年代和墓主得到确认，还为研究曾、楚关系提供物证，弥补文献记载的不足。

楚国和楚惠王，文献多有记载。而位于汉东的曾国和曾侯乙以及楚惠王赠镈于曾则于史无征。但在今随州一带却屡有铸铭为曾国的铜器出土。与此相反的是，文献记载这一带有个随国，"汉东之国，随为大"（《左传·桓公六年》），却不见一件铭文为"随"的器物出土！曾与随的问题遂成为千古之谜。曾侯乙墓的发掘，为解开此谜提供了可靠的依据。学者们多认为，曾与随是一国二名，曾即是随，随也是曾。据此，我们就可以通过文献记载的史实来了解为什么楚惠王会送镈钟给曾侯乙。这要追溯到楚惠王的祖父楚平王。楚平王当年听信谗言，杀害了伍子胥的父亲和兄长，伍子胥逃到吴国，发誓要报仇。他终于帮助吴国强盛起来，然后兴兵伐楚，仅五战就打到楚国的郢都。这时，楚平王已死10年，其子昭王（即惠王的父亲）继位，为避吴兵而逃到随国。伍子胥挖出楚平王尸体，鞭尸三百，以报杀父兄之仇；又派人到随国索取楚昭王，只因随国拒绝才未能得逞。后来，楚臣申包胥到秦国借兵打败侵楚的吴师，楚昭王得以复国。昭王死后，其子楚惠王继位，当然记得吴师入郢之耻。楚与随是保持着世代友好的关系，曾（随）侯乙能得到楚惠王赠镈以祭，就成了顺理成章的事。对待来自楚国国王赠的宗彝，曾国也极为郑重：除留一部分置于宗庙以供后人祭奠外，将其中一件放入墓中，悬挂在全套编钟的显著位置（下层二组6号位，此系按出土的考古编号），而将原位的那件甬钟移到下层一组3号位，并将原一组3号钟东移至2号、2号东移至1号位，最后把真正的下层 一组1号钟，也就是全套编钟最大的一件甬钟挤走而未能入葬。

从此，这件珍贵的楚王镈钟载着楚、吴的血雨腥风的战争往事，载着楚、曾互为依存的友好情谊而深藏地下。终于，在2400多年之后重见天日。人们目睹其千年古风，诠释其千年古义，无不叹为观止，感慨万分！

无与伦比的青铜瑰宝——尊盘

王智慧

青铜尊盘出自曾侯乙墓中室偏东,与闻名中外的曾侯乙编钟同出一室。它是由尊和盘两件单独的器物组成,尊是盛酒器,盘是盛水器。出土时尊置于盘内,二者浑然一体,显得和谐、美观,表现出古典美的独特意境。

尊体喇叭口、长颈、圆鼓腹、高圈足,高33.1厘米,口径25厘米,重9公斤。尊的口沿由高低、内外各两层套合的透空的附饰组成,错落相间。每圈十六个单位,每个单位有四对形态不一的变形龙蛇。诸龙蛇各自独立,互不依附,相互盘旋环绕,宛如在空中游动的朵朵云彩,层次分明,玲珑剔透。尊的颈部攀附着四条立体圆雕的豹形爬兽,它们反首吐舌,向上作爬行状,形象生动。豹身亦为透空的龙蛇作饰。四豹之间,饰四瓣蕉叶纹,蕉叶向上舒展,与微敞的颈部弧线相协调。腹部及高圈足底部,以浅浮雕的蟠螭纹衬托出腹部高浮雕的龙,与圈足上装饰的四条双身龙融为一体。整个尊体共饰28条蟠龙,32条蟠螭,布局严谨。

盘的花纹与装饰亦较复杂。盘体直口、方唇、短颈、浅腹、平底、四兽形足。高24厘米、径57.6厘米、深12厘米、重19.2公斤。盘的口沿外折下垂,其上另附四组对称的方形镂空附饰作盘耳,盘耳下部各有两条透雕的扁体兽形附饰,伏于盘腹之上。盘耳间还攀附着四条圆雕的双身龙,龙口咬住盘沿,造型十分精巧。整个盘体装饰龙56条,螭48条。繁而不杂,显得富丽典雅。

尊和盘皆有铭文,尊颈部一蕉叶两侧,刻"曾侯乙作持用终"七字;盘内底部亦刻相同文字。但仔细观察,从字形到排列都可以判断为两次形成:第一次铸款,有打磨痕迹,为"曾侯迺之口(尊?)口(盘?)"六个字;第二次刻款,改刻时将第三、五、六3个字刮去(但第三字未刮净),改刻为"乙作持用终"五个字。由此可知此器物原应为曾侯乙先祖曾侯迺所有。该墓兵器亦有"曾侯迺"的铭文,但不见刮去改为曾侯乙字样的迹象,可见此物被墓主视为珍宝。

《仪礼·丧大记》曰:"大夫设夷槃,造冰焉。"表明盘亦可盛冰。将盛酒尊置于盘内,显然,用途是冰酒的。这套尊盘,造型别致,纹饰精美,可能已非实用器,是墓主为显示其地位和财富,供人欣赏的艺术品。

科学鉴定表明,此器物集浑铸、分铸、焊接和失蜡法等多种铸造工艺于一体:器主体为浑铸,附件为分铸,其中镂空附件部分为失蜡法铸作,再根据不同的部位分别用铸接、焊接、铆接等多种接合方法,将附件与主体结合。失蜡法即先做成易熔化的蜡模,然后再加有耐火材料的细泥浆浇淋,待干后再浇,如此多次浇淋,使之硬化,最后浇铸铜液。蜡模遇热便熔化流出,形成铸体。尊是由34个部分,通过56处铸、焊连成一体的;盘则是由38个部件,通过44处铸与焊成为一体的。部件之多,焊接之繁,已属罕见,而连接成尊盘浑然一体,更具匠心!现知最早的失蜡法铸件,是河南淅川下寺春秋晚期楚墓中出土的铜禁的部件。曾侯乙青铜尊盘年代晚于淅川铜禁的年代,其工艺水平更为高超。证明在两千多年前,我国已经开始使用失蜡法铸造青铜器了,而且造型艺术和铸造技术都达到了炉火纯青的程度。失蜡法的铸造工艺在我国有着悠久的历史,至今还广泛应用于航空、舰艇、机械、仪表等工业部门。

曾侯乙尊盘别具艺术魅力,这种具有楚文化特色的装饰风格,较墓内出土的其他青铜器更为精致。它造型规整,制作考究,纹饰繁缛、细密,系铜器之瑰宝!体现了我国古代匠师的创造才能,反映了战国早期精密铸造工艺的高超水平!具有很高的历史研究价值和艺术欣赏价值。

奇特的古代冰箱——青铜鉴缶

任 虹

青铜鉴缶原置于曾侯乙墓中室东壁下的中段,共两件,并排而放。两器的形制和纹饰相同,大小相近,保存完好。全器呈正方形,由方鉴和方尊缶组成,并配置一件铜勺。其中一件方鉴通高63.2厘米,口部宽62.8厘米和63.4厘米;方尊缶通高51.8厘米,口部宽23.8厘米,全器重168.8公斤。另一件的大小、重量与此相近。勺通长84厘米,柄径1.5厘米,重1.3公斤。

鉴缶的结构奇妙:方鉴内置方尊缶,并以钩形附件固定,二者之间存在一定空间。将鉴盖套合后露出方尊缶器口,再扣合方尊缶的器盖。勺则置于鉴盖上。

方鉴器身横断面呈正方形,鉴身直口、方唇、短颈、深腹,圈座附四个兽形足,兽形足的头部作龙首状,口和前肢衔、托器底,后足登地。镂孔方盖面中空以容纳方尊缶的颈部,四边各有一兽面衔环钮,盖沿四边则各有两兽面形衔扣以使器身与盖扣合得更好。器口每边正中和四角上又各加一块曲尺和方形附件,是用凸榫与口沿上相应的榫眼套接。鉴身的四角和四面,共有八个拱曲攀伏的龙形耳钮,龙头均与口沿上各个相应附件的子榫成等腰距离,成为附饰的支柱。鉴底结构分为二层:外层呈圆饼形下凹,中有十字形凸梗,用以增加底托力量;内层为一圆盘,恰好嵌入外层的下凹部位,并加焊固定,圆盘上有呈品字形的三个弯钩,其中前一弯钩带有可以活动的倒钩,以便扣紧上置方尊缶的圈足。

方尊缶的器身横断面也呈正方形,直口、方唇、平底、圈足。盖呈方形隆起,四角附竖环钮,盖沿内折,并有与器口套接的子母榫。缶身腹部的四面各有一个竖环耳。圈足一侧有二长方形榫眼,相对的另一侧有一长方形榫眼。将方尊缶置入方鉴时,这3个长方形榫眼恰好与方鉴底部的三弯钩套合,其中前一个弯钩的活动倒钩便自动倒下,使鉴身稳定不移。

从两套方鉴的外观和花纹上可以看出2400年前我国古人的聪明才智。方鉴的盖上隆起处为浮雕变形蟠螭纹,四周方框平面为镂孔的T形勾连纹,鉴身口沿上的附饰、颈部和上腹部均为浮雕的多体蟠螭纹,下腹部饰蕉叶纹一周,内填浮雕蟠螭纹。方尊缶的盖面方形隆起部位为T形勾连纹,环钮饰菱形带纹,弦纹和斜角纹;缶身颈部为变形蟠螭形,肩部饰勾连雷纹,上腹部和下腹部分别为浮雕蟠螭纹和蕉叶纹,内填涡纹。方鉴和方尊缶均刻有铭文"曾侯乙作持用终",说明此物就是曾侯乙用的器物。从以上所说的构造和花纹来看,不论从艺术角度还是作为当时的实用品,都可称得上是一件稀世珍宝。

方鉴和方尊缶的制作方法:器身均为浑铸,附饰、龙耳、兽形足等则为分铸后焊接,龙耳的首、身、尾及尾上花饰也是分铸焊接的。

古人制器,功用决定器形,今人则据其器形而反推其功用。青铜鉴缶被制成如此式样,自有其妙用。妙就妙在其鉴与缶间的空隙。《诗·豳风·七月》:"二之日凿冰冲冲,三之日纳于凌阴。"《周礼·凌人》:"春秋治鉴,凡外内饔之膳羞鉴焉,凡酒浆之酒醴亦如之,祭祀共冰鉴。"据上引文献可知,我国古代有利用自然冰以冷藏食物之俗。缶为盛酒器,早有定论。缶与鉴之间的空隙当为盛冰之用。因此,这件青铜鉴缶应是冰酒器,难怪人们把它叫古代的冰箱了。

守卫森严的君侯卧室——主棺

孙小玲

　　主棺是敛曾侯乙之尸的葬具，安置在墓内东室的西南部。墓主头朝南，脚向北，棺的两端和两侧，也因此而区分头挡、足挡和东西侧板。此棺分内外两重：外棺长方盒形，铜木结构，长 3.2 米、宽 2.1 米、高 2.19 米，重约 7 吨；内棺亦系长方盒形（略呈弧形），木质榫槽结构，长 2.5、宽 1.27、高 1.32 米，重约两吨。内外棺均通体髹漆彩绘。先秦时期，铜木结构的棺迄今仅此一件。在同时期同等级的墓葬中，此棺也是最大最重的。

　　外棺的棺身和棺盖都是用青铜框嵌装木板而成。棺身的铜框架由底框和壁柱组成。底框为长方形，由两纵两横的梁形成方框，其底带 10 个蹄形足；壁柱有 10 根，等距地直立于底框上。棺盖的铜框架也系长方形，由两根纵梁和四根横梁组成，四角各向外凸出一个铜钮、向各凸出一个铜楔。其钮有钮眼，便于穿绳吊装棺盖；其楔在棺合盖时，插入棺口四角的榫眼以固定棺盖。框架的足、柱、梁、钮等各以泥范分铸，再用榫卯、铸接和焊接的方法相连结。柱与梁作成工字形或直角形，便于嵌装木板。全棺共嵌装 19 块木板，分为底板 2 块、盖板 6 块、壁板 11 块。

　　外棺的足挡下方留有一个方形小门洞，高 34 厘米、宽 25 厘米，它可能是古人为死者灵魂出入而专门设计的。

　　外棺的内壁髹朱漆，外壁以黑漆为地，绘朱色间黄色花纹，其纹饰有云纹、绚纹、龙形蜷曲纹、鳞纹、花瓣纹等。值得注意的是，那些蜷曲的勾连纹是由龙（蛇）组成的。这些龙（蛇）绘得较简化，多数没有头，而尾部却十分明显。龙纹是外棺的主纹，处于中心位置，其它纹为辅纹，而鳞纹仅限于棺下的十个足上。

　　内棺悬底弧壁，用厚重的木板拼接、槽嵌、榫卯而成。棺口四角还用铜锡抓钉扣紧。头挡内壁中央嵌装一件玉璜。棺的内壁髹朱漆，外壁先抹漆灰并打磨，再髹黑漆，然后髹红漆，以红漆为地，用黑、金、黄、灰等色彩绘花纹图案。内棺不仅形体巨大，更重要的是其图案花纹极为繁缛，内容怪诞。其纹饰题材丰富，描绘了众多传说中的神人神兽，主要反映了古人祈求神灵庇护死者灵魂和使死者升天成仙的美好愿望。

　　内棺东西侧板和足挡上，有用粗大的黑线描绘的方格连结的几何图案，类似房屋的窗户。

　　在东西侧板方格纹的两旁分别绘有 8 个人面兽身，手持双戈戟的武士，它们分上下两排伫立，神态威严。有学者据文献记载研究认为，它们是古代王侯丧葬仪式中的方相氏和由百隶装扮的神兽。《周礼·夏官·方相氏》载："方相氏，掌蒙熊皮，黄金四目，玄衣朱裳，执戈扬盾，帅百隶而时难（傩），以索室殴（驱）疫。大丧、先柩，及墓入圹，以戈击四隅，殴方良。""方良"是传说中"好食人肝脑"之鬼，内棺上描绘方相氏和神兽的形象是为了驱鬼避邪，护卫死者遗体免遭魍魉残害。

　　内棺上还绘有一些人面鸟身和人面蛇躯的形象。如：内棺足挡两边各绘一人面鸟身，头生双角、耳珥两蛇，足踏两蛇的神兽。其形象与《山海经·大荒北经》记载的水神禺疆的形象相符。内棺绘此神，可能是祈求禺疆镇水避邪，以求死者免遭水患。内棺西侧板方框内及头挡中央，各画一人面蛇躯，头生双角的神兽。它可能是文献记载中的幽都主神"土伯"。主棺绘此神，是祈求土伯"平水土，护门户"，从而使墓主安宁。

　　内棺棺盖前后侧沿和头挡、足挡及东西侧板上，满绘二鸟啄蛇的图案。两鸟相对，各啄缠绕的双蛇。这些图案表明古人注重护尸防蛇，是古人祈求死者遗体免遭蛇侵愿望的体现。

　　内棺还描绘了一些用以引导死者的灵魂升天的神兽形象。在内棺东西侧板方相氏和神兽的左边，各绘有两位头生双角，手持戟，人面鸟身的神人形象。它们是文献中记载的长生不老的羽人。这些羽人的职责是接应和引导死者灵魂升天的。在内棺的西侧板羽人和方相氏的上方，绘四只鸡头、蛇颈的大鸟，这可能是供死者灵魂升天的驾御物——鸾鸟。古人认为，鸾凤是吉祥的象征，又是引导死者灵魂升天的座骑。如《离骚》说："鸾鸟为余先戒兮，雷师告余以未具。吾念凤鸟飞腾兮，继之以日夜。"《九叹·远逝》亦说："驾鸾凤以上游。"在内棺足挡上，于方格纹两侧偏下处，绘有背向而立的朱雀和相向踞立的白虎。朱雀和白虎在古人心目中同样是护卫死者灵魂升天的祥物。

　　此外，内棺上还绘有蟠凤纹、蟠龙纹、龙纹、蛇纹、虎纹、鹿纹、鸟纹以及山川和其它几何纹样。据粗略统计，内棺共绘 895 只动物和人面神 4 个、神兽武士 20 个。纹饰色调鲜明，对比强烈，众多的纹饰将丰富的想象和粗犷的神韵巧妙地结合在一起，相得益彰。

　　综上所述，曾侯乙墓主棺庞大、庄重、华美绚丽，其上描绘的丰富的纹饰和形象，将人和神的世界有机地结合了起来，反映了古人的美好愿望和祈求，为我们研究古代民风民俗提供了丰富而宝贵的资料。

PREFACE

By Shu Zhimei

The Zeng Hou Yi Tomb has been world—known for a long time for its broadness in scale, delicate unearthed cultural relics, and profound cultural connotation. Works that studied and introduced the Zeng Hou Yi Tomb are emerging in an endless stream. Especially those, excellent in both pictures and literary compositions, suitable for both refined and popular tastes, were sold out soon after published. "Art of the Clutural Relics of the Zeng Hou Yi Tomb", complied by us Hubei Museum in 1991, published by the Hubei Fine Arts Publishing House, was well sold and is hardly available in bookstores. Comrades, in the department of mass work are engaged in reception of the public year in year out, so they are familiar with the cultural relics and they can understand the audience. In order to build up a bridge of appreciation between the cultural relics and the audience, they decide to publish a new book, based on "Art of the Cultural Relics of the Zeng Hou Yi Tomb", with several choice photos, and name it "The High Appreciation of the Cultural Relics of the Zeng Hou Yi Tomb". They put the pictures first and essays second. It has a high quality of artistic appreciation, superior print quality and moderate price. I fully approve for this cause, and think that they've done a significent work.

This picture ablum collects altogether 126 piece of paintings, most of which are color photos. And it consists of 11 essays. The adopted picture and selected subject are quite aimed at the taste of the audience, for the compilers are familiar with the public appreciation taste. Take the essays for example, they cover widely within not much words (the whole book has about 30,000 words) with comprehensive introductions about various kinds of cultural relics for the readers to have a general knowledge. At the same time, there are several excellent cultural relics (what we talk about here are only a few among the large number of the cultural relics of the Zeng Hou Yi Tomb) are described thoroughly in special essays, so as to produce the effect of finishing touch. Owing to the personal experience of oral interpretation before the audience, their essays are unaffected and simple in colloquial style. It reads like a cordial conversation with the readers.

The complier—in—chier of "Art of the Cultural Relics of the Zeng Hou Yi Tomb", Tan Weisi and Wu Jialin, and Pan Bingyuan, the photographer, have devoted much to publishing the book. They offered great help from the selection of materials to the levision of all the manuscipts, which show concern and support for the young generation of the historical sicence. The young artistic designer, Song Qiu, from the designing department, designed the format elabocately. Comrades, from Hubei Art Publishing House gave us great support. It took a short time from setting the plan to making the plates. As a head of this museum, I express my faithful gratitude to these comrades mentioned above.

The cultural relics of the Zeng Hou Yi Tomb are not only the essence among our collections, but also matchless in the human cultural heritage of the same period. They are magnificent testimonics of the highly—developed science and culture. To study them thoroughly and introduce them extensively is a glorious duty for us to expand Chinese nation's culture. We'll make unremitting efforts on it. I write this as a preface as the picture album is to be published.

By Shu Zhimei
Chief of Hubei Provincial Museum,
Member of the research museum
2/20,1995 East Lake, Wuhan

AN OUTLINE OF THE ZENG HOU YI TOMB

By Li Ling

In the summer of 1978, the Hubei Provincial Museum directed the excavation of the Zeng Hou Yi Tomb, which is located in the northwest of Suizhou City, Hubei Province. The tomb is broad in scale and well—preserved. From it, more than 15,000 pieces of relics were unearthed, including bronze wares, weapons, musical instruments, lacquer — coated wooden articles, gold vessels, jade objects and bamboo slips. Esspecially the 65—piece set of chime bells are matchless in the world, and are so — called one of the top ten archaeological miracles since 1949.

The Zeng Hou Yi Tomb has an outer coffin in the vertical rocky pit. The mouth of the tomb is in shape of an irregular polygon, facing due south. The tomb is 21—metre long from east to west, 16.5—metre wide from south to north, and 220m² (square metres) of the total area. It is 11 metres deep from the current mouth to the bottom. The wooden outer coffin was built at the bottom of the pit, of 171 pieces of giant rectangular wood, using 378m³ (cubic metres) timber. The top was laid orderly with tiers of thin mat, white silk and bamboo net. There are altogether nearly 6,000 kilograms charcoal stuffed around and on the top of the coffin, sealing and wrapping it tightly. On the charcoal tier, it was covered with blue clay, white clay and drab soil by turn. After laying a tier of flagstone, mixed soil was rammed down till the mouth of tomb.

The tomb pit is divided into four chambers, in east, center, west and north. The coffin of the tomb owner was laid in the eastern one, with the company of eight other coffins of the immolated slaves, one for an immolated dog, numerous lacquer—coated wooden articles, etc. Bronze wares for site, utensils, musical instruments, and so on were put in the central one. In the west there laid 13 coffins immolated slaves, and in the north there placed weapons, vehicles and bamboo slips, etc. A skeleton was found in the master's coffin and every immolated ones. It was figured out that the master was about 45—year old and the immolated were young females, aged from 13 to 25.

According to the inscriptions on the Bo Bell and other unearthed utensils, we know that the owner of the tomb is Zeng Hou Yi. "Zeng" is the name of the kingdom, "Hou" is his title for Marquis. "Yi" is his name. The year of the burial is in the early period of the Warring States, which is more than 2,400 years ago.

The Zeng Hou Yi Tomb is an important archaeological discovery that shocked the country and the whole world as well. It is of great researching value in archaeology, history, music, art, science and technology, and many other fields.

By Li Ling
Director of mass work department

BRONZE WARES

By Li Ling

Most of the bronze ritual vessels and utensils (including 117 pieces of ritual vessels and 17 pieces of utensils) are excavated from the central chamber of the Zeng Hou Yi Tomb. They are well—preserved and the total weight is 2,300kg (kilograms).

The bronze ritual vessels of the Zeng Hou Yi Tomb are divided into three sorts according to their practical usage. They are tablewares, wine vessels and water vessels. Tablewares include tripods or quadripods, food steamers, Li, charcoal basin, Gui, Fu, Dou, tirpod—shaped vessels, boxes and ladles; Wine vessels indclude Zun Fou, twin Hu, Chain—handled Hu, Jian Fou, Zun Pan, jar, filters and spoons; Water vessels include small—mouth tripod, tripod Yi, Guan Fou, round Jian, basins, Yi and dippers. The nine tripods and eight Gui prove the data records of ritual etiquette in historical documents.

The bronze utensils are widely used, including charcoal brazier, dustpan, straining spade, weight, censer, beaked pick, knives, bronze chisel with wooden handle and a standing crane with deer antlers.

The bronze wares are modelled and designed appropriately and created delicately. Tripod, Gui and Fu have silmilar models with those of the previous dynasties. The features of wine vessels tend to be large, practical and delicate. The two large Zun Fou, 1.26 metres high, 1 metre in belly diameter, weighing 292kg and 327.5kg separately, are the largest and heaviest among those of the pre—Qin period discovered so far. Meticulous ornaments are decorated along the mouth of the Zun and Pan. This vessel consists of 72 parts and bears 100 welded and cast joints. The standing crane with deer antlers has never been seen before. It is a bronze crane standing on a rectangle bronze base, with deer antlers on head, 1.43 metres high, 38.4kg in weight. The mixture of deer and crane symbolizes luckiness and fortune.

There are various and peculiar ornaments of the bronze wares, taking the shapes of dragon, beast, cow and birds as legs, ears, handles and knobs. Patterns on the utensils are rich and varied and the patterns of dragon are especially changeable. The casting methods include mixed founding, separated casting and melted modelling. There are altogether 88 pieces of bronze wares with inscription.

23

MUSICAL INSTRUMENTS

By Cheng Lizhen

There are 8 kinds and 125 pieces of musical instruments excavated from the Zeng Hou Yi Tomb, including bells, stone chimes, drums, Se, Zithers, Sheng, panpipe and Chi. They are precious materials on musical history research.

Chi as recorded on the historical documents, is like flute with five note holes and one blowing hole on the surface. Two pieces are unearthed. The sound of Chi is more mellow, more graceful and fuller than that of flute. The Chi excavated from the Tomb is the earliest material objects discovered up to now.

Panpipe, 2 pieces excavated, is made of 13 small bamboo tubes arranged together in different length. It takes the shape of a single wing. And it could still produce eight different musical notes when unearthed.

Sheng, 6 pieces excavated, has 3 kinds of 12—tube, 14—tube and 18—tube. The bamboo reeds inside are in different size and are of exquisite workmanship. The space between the frame and the tongue is as thin as a hair.

Five—string fiddle, which is in the shape of a club, has never been seen among tombs of the pre—Qin period. The body is painted with colorful patterns, such as patterns of persons, animals, etc. Scholar's textual research proves that it is a "Jun Bell" adjusting the tune of chime bells.

Se, 12 pieces excavated, has 25 pieces of strings. There are 1,358 pieces of zithers unearthed from the Tomb. The body is lacquered in colors. On the tail, there are dragon—shaped ornaments sculptured in relief uncommonly exquisite.

Jian drum, hung drum and handled drum are excavated from the Tomb. Jian drum is the earliest material object among this kind discovered up to now. It stands vertically on the bronze drum base with a 320 centi metre round wooden pillar through its warity.

Stone chimes consist of 32 slabs of marble, hung on two tiers. Its compass covers 3 octaves and it sounds high and clear. The frame takes two bronze long—necked magical animals as its stand.

Altogether, there are 65 piece of chime bells in the Zeng Hou Yi Tomb. Chu Wang Bo Bell is one of them. They are hung in eight groups on three layers on a carpenter's square—shaped bronze—wood structure. The Niu Bell on the upper layer, 19 pieces, can produce clear tones. Thirty—three pieces of Yong Bell on the middle layer are used to play melody. Twelve pieces of Yong Bell on the lower layer are used to accompany. The unearthed play implements are six pieces of T—shaped color—painted wooden poles and two pieces of colorful wooden sticks. Gold inscriptions of 3,755 words are carved on the body, the frame and hung hooks. They are important materials in studying the ancient temperament. The compass of the whole serials is very broad and the tone can be changed. Modern, ancient, Chinese and foreign music can all be played on it. The outstanding character of the chime bells of Zeng Hou Yi Tomb is "one bell with two tones". On the major drum and the flank part, each bell has a tone, covering three intervals. The generation of two tones depends on the closed tile—shaped body of the bells. "One bell with two tones" is a great invention of ancient craftsmen.

The processing technology of chime bells from the Zeng Hou Yi Tomb is superb. It is a comprehensive expression of all the casting methods during the pre—Qin period, such as mixed founding, separated casting, etc. It adopts techniques as circular carving, relief sculpture, intaglio cutting and so on.

The musical instruments unearthed from the Zeng Hou Yi Tomb have such a great variety, a large number, a delicate production and an intact preservatiom that they are hardly seen in China's archaeology history.

LACQUERWARES

By Hu Weiqing

The lacquerwares of the Zeng Hou Yi Tomb are the largest in the number and best—preserved among those unearthed from the tombs of the pre—Qin period. Besides the coffin of the tomb owner, 22 immolated coffins, several tens of musical instruments and play implements, uncountable lacquered armors and poles of weapons, there are 230 pieces of daily utensils. Lacquerwares have various kinds and broad uses, including tablewares and wine vessels for picnic, boxes, Dou, cups, buckets, suitcases for food and other things, An, Jin, Ji, Zu for shelling things, small round wooden cakes for games and lacquered wooden deer for displaying and appreciating, etc. This batch of lacquerwares are both practical and elegant, with the model delicately designed according to the functions. Sets of tablewares and wine vessels, placed in the cases, are for the tomb owner hunting. Some lacquerwares are practical utensils as well as artworks. The surface of the lacquered Jin is hollowed out into geometric sculptures and there are dragon—shaped relief sculpture of ornaments on it. The legs of Jin are in shape of little beasts. The lacquered Dou is uncommonly magnificant, with a mass of dragons in relief on its two ears. The lacquered wooden deer looks alive in both shape and spirit. Lacquerwares are rich in ornaments and colors. The ornaments are in patterns of natural scenes, geometric figures and animals. The moral paintings on the lacquerwares have wide—ranging themes with abundant historical data. A suitcase cover was painted with "Yi She Tu", a picture telling a fairy tale. In the ancient time, there were ten Suns in the sky, on duty by turns. But one day, they rose up together, and the crops withered and died. A man, named Hou Yi (not the man Zeng Hou Yi) shot nine of them and kept one. This helped the people get rid of a scourge. Another suitcase cover was painted with pictures of astronomical phenomena, which indicates that ancient Chinese had already noticed the movements of stars and mastered the law of the four season's change. On both sides of the lacquered Mardarin Duck Box's belly, there were painted "Zhuang Zhong Tu" (a picture of tolling a bell) and "Ji Gu Wu Dao Tu" (a picture of beating a drum and dancing). These reflected the occasion on which the ancient playing music and dancing.

The lacquerwares of the Zeng Hou Yi Tomb show the remarkable achievements in the art of ancient China's lacquerwares, and offer precious materials for study on ancient lacquerwares.

WEAPONS CHARIOTS AND HARNESS ARTICLES

By Fang Fang

Weapons unearthed form the Zeng Hou Yi Tomb add up to more than 4,700 pieces, most of which were from the northern chamber, and a few from the eastern chamber.

Dagger is a kind of weapons for grappling with a vertically fixed handle and a transverse knife blade with cutting edge, it can not only hit and stab, but also attack from behind, so it is called a hook weapon. There are altogether 66 pieces of daggers, most of which are well—

preserved with shafts. The average length of the dagger shaft is between 1. 27 metres to 1. 32 metres, and the longest is 1. 4 metres. The biggest bronze dagger head is 30. 7cm long. Every dagger axe is carved with inscriptions. According to that, We know that one piece once belonged to a trusted bodyguard of Zeng Hou Yi.

Halberd is a kind of long — pole weapon. Altogether 30 pieces are excavated from the Tomb. There are three styles: one is triple—daggered halberd consisting of three daggers and one spear, the other two are triple—daggered and double—daggered halberd without spears, Inscriptions are carved on every halberd and from these we know that some were used by the late father of the owner of the Tomb.

Shu unearthed from the Tomb has two styles. That without blade is called Jin Shu as recorded in the historical documents, totally 14 pieces, in length of 3. 29 to 3. 40 metres, with bronze sleeves and ornaments on both sides. The other kind is Shu with blade, not recorded in the historical documents, altogether seven pieces, The heads of Shu are in the shape of triangular spear and the ball—shaped bronze hoop sleeves around the shaft.

Spear, 49 pieces unearthed in all, is the longest among the ancient "Five Kinds of Weapons". Among all unearthed, there is one 2. 25 metres in full—length with a spearhead 22. 5cm long, excavated from the eastern chamber. All the other spearheads average from 11. 5cm to 12. 5cm in length, and they were all excavated from the northern chamber. The shafts are all over four metres.

The long weapons unearthed from the Tomb have poles called bamboo—wrapped wooden shaft, that is a long wooden pole as the core, wrapped up around with bamboo strips or rattan peel, then bound with silky thread, and finally lacquered it. Having focused advantagies of wood, bamboo, rattan, and so on, the shaft of the weapon is light and solid, as well as elastic, and is benefitable for fighting.

Bow and arrow are weapons for distant shooting. There are excavated 55 pieces of wooden bows and 4507 pieces of metal arrowheads. The triangular metal arrowheads have differences in three—hangnails, six—hangnails, nine—hangnails and none—hangnail. The wings of the two—winged metal arrowheads have differences of long, short, wide and narrow ones. There are only two pieces of cube awl—shaped metal arrowheads while there are twenty pieces of circular cone—shaped metal arrowheads. The latter two are lack of power to inflict casualties on enemies, and are probably for exercise.

Thirteen pieces of armors and two pieces of horse helmets, were excavated. Most of the leather, had rotten already, but the lacquered leather still remained the shape of the armor and the helmet when unearhed. Among these, one piece of horse helmet is in perfect condition and looks like a horse's face. Holes are kept in eyes, ears, noses, etc. Black lacquer was applied on both outside and inside. Colorful ornaments are painted delicately on the outside.

There are altogether 49 pieces of shields, with leather cover, but only lacquered leather and handles remained.

Seventy—six pieces of wheel axle cap (for sleeving wheel axle) are excavated from the Tomb, standing for 38 immolated chariots. Two of them have special models (one is 37cm long, the other is 41. 4cm) with spear—shaped wheel axles. Attached to the wheels, parallel to the ground, they could kill and wound infantrymen and horse as the chariots advanced across the battle field.

Several hundred pieces of horse ornaments, covered with gold leaves, are excavated from the Tomb.

The Zeng Hou Yi Tomb, with so many weapons, chariots and harness articles unearthed, is the only one among tombs of the pre—Qin period. It offers important material reference for studying the historic scene of the Warring States Period.

GOLDWARES AND JADEWARES

By Yang Lei

Goldware excavated from the Zeng Hou Yi Tomb, is a gold bowl, 11cm high, 15.1cm in calibel, 2,156g(grams) in weight and in an agreeable model. The three legs on the bottom are in shape of phoenix's head. The lid and the main body are decorated with serpetine, interlaced "Lei" (thunder) and cord patterns. A gold ladle, 56.4g. in weight, is placed inside the bowl. A gold cup, 787.9g in weight, has a big mouth, tightened waist and a small bottom. The gold bowl, gold cup and two other gold lids are all put at the owner's outer coffin's bottom. Four pieces of gold belt hooks are placed at the waist of the tomb owner. Nine hundred and fourty pieces of gold foils, four hundred and fourty—two segments of gold springs are unearthed from the eastern and northern chambers of the Tomb. It is measured that the gold content of these goldwares is between 85% to 93.6%. The Zeng Hou Yi Tomb contains the largest amount of gold among those tombs of the pre—Qin period discovered so far.

There are about 300 pieces of jadewares, mainly placed on the remains of the tomb owner and well—preserved. Most of them were used for wearing when the tomb owner was alive or for burial ceremony. Jadewares, for wearing include Bi, Huan, Jue, Huang, Cong, square bracelet, Pei, pentant, sword, tube, belt—hook, image of man and stringed ornaments etc. Jadewares for burial are to protect the remains of the tomb owner and mainly include Han, jade in mouth and hands, slice, half—Cong, remained jade and uncut jade, altogether 64 pieces. Twenty—one pieces of Han are placed in the mouth of the tomb owner. There are small jade animals, such as cows, goat, pigs, dogs, and so on, and are as small as beans.

The models of jadewares are not only flat Bi, Huan, Huang, etc, but also cubic and circular cone shaped images of men or animals. The 16—section jade ornament is the most precious, 48cm long, 8.3cm wide, and 0.5cm thick. It was sculptured separately with five pieces of jade into sixteen sections,and then linked up with three movable jade rings and a jade nail. It can be rolled over as well as separated apart and fitted together. Jade Huang with gold thread consists of two pieces of Huang joined up with gold thread.

The goldwares and jadewares of the Zeng Hou Yi Tomb are delicately produced and serve as a feast for the eyes. They are ciystallitations of the ancient crafismen's wisdom.

BAMBOO SLIPS

By Huang Xiaogu

There are altogether 240 pieces of bamboo slips unearthed from the northern chamber of the Zeng Hou Yi Tomb, put together with weapons, leather armors and helmets, etc. Because of the accumulated water, strings connecting bamboo slips had already rotten and broken, and most of the bamboo slips were scattered about. However, they were well—preserved on the whole. Every piece is 72 to 75cm long, 1cm wide, as so. They were joined up first and then Chinese characters were written on the yellow side. The 6,696 seal characters were written in black. Most of the handwritings could be read easily. They are similar in style with these Chu bamboo slips during the Warring States Period. They are the easliest and comparatively large in the numbers of pieces and characters among the unearthed bamboo slips of the Warring States Period.

After arranging and studying the bamboo slips, we find that the content mainly recorded features of the burial chariots, horse helmets, weapons, their doners and their heredity, etc. It includes three. First, it accounted who directed what kind of chariots and what kind of horse helmets and weapon apparatus were on the chariots. Secondly, it accounted what kind of armors and helmets were on a certain chariot, or on someone's chariot. Thirdly, it accounted who presented these chariots and horses.

These bamboo slips offer us not noly important materials for studying the funeral ceremony taken place 2,400 years ago, and getting information of chariots, horses and weapons, but also essential evidences for venifying the great number of vessels in the Zeng Hou Yi Tomb. They are of great value in studying China's history and chararters in the early Warring State Period, and are one batch of rare written records.

CHU WANG BO BELL

By Li Ailin

There is a Bo Bell hanging in the centre on the lower layer of the bellshelf, among the 65 pieces of chime bells unearthed from the Zeng Hou Yi Tomb. It has an extraordinary origin that it was once a gift to Zeng Hou Yi presented by the King of the Chu State. It is of important historical value in ascertaining the age and the owner of the Zeng Hou Yi Tomb and in studying the relationship between Zeng and Chu.

The middle trapezoid section, on the right side of the bell, bears a 31—character inscription. It tells that when Chu Hui Wang heard of Zeng Hou Yi's death in 433. BC, he specially had the bell made and sent to Xi Yang to offer a sacrifice to Zeng Hou Yi. According to this, the year in which the burial of Zeng Hou Yi took place should be in the early Warring States Period, more than 2,400 years ago.

Why did Chu Hui Wang present the Bo Bell to Zeng Hou Yi? There is a story. It was recorded in the historical documents that Chu Pin Wang, Chu Hui Wang's grandfather, believed slanderous talks and killed Wu Zixu's father and elder brothers. Wu Zixu fled to the Wu State and to revenge. Ten years after Chu Ping Wang's death, the Wu State captured Yin, The Captial of Chu State. Wu Zixu excavated Chu Ping Wang's Tomb and whipped his remains. Chu Zhao Wang, father of Chu Hui Wang's, ran away to the Sui State (Zeng and Sui are actually one state), The Wu State asked the Sui State for Chu Zhao Wang, but was refused. In order to repay the Sui State for the favor of saving his father and preserving the Chu State, Chu Hui Wang specially cast the Bo Bell to offer a sacrifice to Zeng Hou Yi. The Zeng state paid great attention to the sacrificial offerings sent by the Chu State. They replaced the biggest Yong Bell of the original chime bells with the Chu Wang Bo Bell hung at the most conspicuous place among the whole chime bells.

The precious Chu Wang Bo Bell which experienced the reactconary reign of terror between the war of Chu and Wu, and accounted the close friendship, will pass on from generation to generation.

BRONZE ZUN AND PAN

By Wang Zhihui

The bronze Zun and Pan was unearthed from the central chamber by east in the Zeng Hou Yi Tomb. It consists of two individual vessels—the Zun and the Pan. When excavated, the Zun was placed in the Pan, so the two should be a complete set. The Zun is used as a wine receiver and the Pan is used to hold the Zun. The two form an integral whole.

The Pan is 24cm high, 57.6cm in external diameter, 47.3cm in internal diameter and 12cm deep inside. Four symmetrical dragon—shaped legs are attached to the bottom of the Pan. Four symmerical hollowed—out cube handles are adhered to the edge of the Pan mouth. There are hollowed—out additional ormaments sticked to the lower parts on each side of the handles. The Zun is 33.1cm high, 62cm in caliber 145cm in the biggest belly diameter. The edge of the Zun is rolled outwards with hollowed—out decorations. Four crawling beast are climbing upwards and throwing up their long tongues on the neck of the Zun.

The model of the bronze Zun and Pan is exquisite and the hollowed—out ornaments are complicated and varied. The vessel is a collection of various technologies, such as whole founding, separate casting, welding, etc. The main part of it is founded as a whole, the accessories are casted separately, and the hollowed—out ornaments are casted in lost—wax method. The bronze Zun and Pan is the earlist among vessels applied lost—wax method dicovered in China.

Both the Zun and the Pan bear incriptions. Seven characters "Zeng Hou Yi Zuo Chi Yong Zhong" were carved on both sides of the banana—leaf patterns of the neck of Zun. The same characters were found on the bottom of the Pan. With careful observation, we could find that characters as "Zeng Hou Guan", etc, were originally carved inside and then were rubbed out and were replaced by "Zeng Hou Yi Zuo Chi Yong Zhong". According to these, We know that it is passed from Zeng Hou Yi's ancestors.

BRONZE JIAN AND FOU

By Ren Hong

Bronze Jian and Fou, which are of one pair, were placed side by side at the middle part of the eastern wall of the central chamber in Zeng Hou Yi Tomb. They are equal in pattern, similar in size and well—preserved. The vessel consists of a big square Jian with a cube Fou inside. The cube Jian is 76cm in both length and width, 63.2cm in height and 63cm in calibes. It has a hollowed—out lid, in the middle of which there is a large square hole, rightly holds the mouth of the cube Fou. On the four corners of the bottom of the cube Fou, there are four animal—shaped legs. On the four sides, each has a crawling dragon as ear. The outside and mouth are decorated with hollowed—out or relief sculpture. The cube Fou inside Jian has a lid, with no neck in the body, sloping shoulders, retracted belly and square legs with mortises at the bottom. There are crooked tenons, fixed at the counterpast between the bottom of the cube Jian and the mortises of the square legs of Fou and, inserted right into the mortises on the leg of the Fou. And one of those is fixed with an inverted hook, which can automatically fall to block the tenon when plugged into the mortises so as to stabilize the Fou.

The pattern of the bronze Jian and Fou is special. There is room reserved between Jian and Fou. And the vessel has peculiar functions. The ancients put ice around the Fou containing wine inside the cube Jian to ice the wine. So it is called as an ancient refrigerator. The Fou will not topple over when hot water is poured into the room between Jian and Fou, because the two parts are joined up as one. So Jian and Fou can be used to warm wine as well.

THE COFFIN OF THE
TOMB OWNER

By Sun Xiaolin

The coffin of the tomb owner is placed in the south—west of the eastern chamber. It is divided into an inner and an outer parts. The outer coffin has a bronze—wood structure, 3. 2cm. long, 2. 1m. wide, 2. 19m high and about 7 tons, while the inner one has a wooden structure, 2. 5m long, 1. 27m wide, 1. 32m high and about 2. tons. Both the outer and the inner are lacquered colorfully overall.

The body and cover of the outer coffin are made of wooden plates fixed within a bronze framework. It's the only one with a bronze—wood structure of the pre—Qin period discovered up to now. There is a small square doorway remained on the end of the north leg of the outer coffin, 34cm high, 25cm wide. It is probably specially designed for the spirit of the dead going in and out. It is lacquered red inside the outer coffin. The outside is red and yellow, taking the red lacquer as background.

The inner coffin is made up of thick and heavy wood plates, which dovetailed with each other. The patterns on it are complicated with weird contents, They describe many magical persons and animals. Eight animal—bodied warriors, holding double—daggered halberds, are painted on both sides of the lattice window. It is written in historic documents that they are Fang Xiang Shi who protect the remains from demons and monsters. Some bird—bodied and snake—bodied figures are God of Water and God of Earth according to the historical records, The picture of cinereous vulture's eating snakes is to pray for the dead to be free of invasion of snakes.

Some magical animals, guiding the spirit of the dead to the Heaven, are painted on the inner coffin. For instance, the man with wings is welcoming them and leading the road to the Heaven; phoenixs are for the spirit to ride on to the Heaven; and red bird and white tiger are lucky beings accompanying them on the way to the Heaven. Besides, there are a lot of patterns in bright colors, forming a sharp contrast.

The coffin of Zeng Hou Yi Tomb owner is grand, solemn and brilliant. The abundant patterns combine the world of human beings, with that of Gods. It offers us plentiful and precious materials for studying the ancient folk customs.

序

舒之梅

　曽侯乙墓は、その規模の大きさ、出土文物の美しさ、又その資料的価値により、早くから世界的に名声を博し、その研究或いは紹介論著も数多く出版されました。とりわけ説明文と写真の多く盛りこまれ、一般読者、専門家の隔てなく鑑賞にたえる何種類かの図録は、出版後忽ちの内に売り切れ、本館1991年編纂、湖北美術出版社出版の「曽侯乙墓文物芸術」も又好評を博し、現在書店で買うことは困難な状況となっております。本館群工部の職員は、長年展覧の業務に携わり、文物・鑑賞者の双方を理解した上で、文物と鑑賞者との間により一層の理解の架け橋を築くべく、「曽侯乙墓文物芸術」の基礎を踏まえ、精選した写真、そして写真量を増やした、芸術性の高い、印刷の質の高く価格の手頃な図録「曽侯乙墓文物珍賞」を新たに出版することを決定致しました。私はこの決定に大いに賛同し、今回の出版作業を大いに意義のあるものとして認めるものであります。

　本図録は、カラー写真を中心とした126片の図と11篇の文章から構成されています。編纂者は鑑賞者の興味の対象がどこにあるかに比較的精通しているため、写真と解説文の選択には鑑賞者への配慮が強く見られます。解説文に関して言えば、字数こそ多くはありませんが（全書約3万字）、広範囲をカバーし、各文物に関してそれぞれ総合的な紹介がなされ、読者に体系立った理解が出来るよう意図されています。又同時に一部の文物精品に関しては（もちろん曽侯乙墓の文物精品は非常に多いのですが、本書はその内の何件かを特に取り上げています）、比較的詳細な説明を加え、画竜点睛の効果を収めております。その作者は長年の来館者に対する説明を通じて十分自然な文体を獲ることに成功しており、真に読み易いものとなっています。

　元「曽侯乙墓文物芸術」の主編纂者、譚維四、呉嘉麟、撮影者潘炳元、諸氏の出版に向けての情熱には驚くべきものがあり、図版の選択から原稿の検討まで大いに尽力され、一代の博物学従事者の後学に対する温い関心、協力が見てとることが出来ます。本館美工部の若き美術設計師宋秋氏は、本書のレイアウト(layout)にその才を発揮しております。湖北美術出版社の方々には熱意ある協力をいただき、計画から印刷まで、非常に短期間に終了することが出来ました。館長として、以上の諸氏に心より感謝申し上げる次第であります。

　曽侯乙墓の文物は、本館所蔵の珍品であるばかりでなく、同時代の人類共通の文化的遺産としても比類無き価値を持つものであります。それは2400年余りの者に、中国の科学と芸術が高度に発達していたことを示す輝かしい資料であり、それを深く掘り下げて研究し、広く世界に紹介することは、中華民族文化を弘揚するため、我々の尽くすべき栄誉ある、任務であり、我々はそのためには如何なる努力も惜しまない所存であります。この図録が出版されるにあたり、謹しんで序を記させていただく次第であります。

舒之梅　湖北省博物館館長、研究館員
1995年2月20日中国・武漢・東湖にて

31

驚くべき考古学上の
発見 ―― 曽侯乙墓

李苓

　1978年夏、湖北省博物館が中心となり、現在の湖北省随州市北西部にある曽侯乙墓の発掘作業が行われた。曽侯乙墓はその規模は広大、保存状態はきわめて良く、そこからは青銅器、兵器、楽器、漆器、金玉器、竹簡等、合わせて一万五千点余りが出土された。その中でも、65のパーツからなる編鐘は、世界でもほとんど例を見ないもので、中国建国以来での考古学上の十大奇跡的発見の一つと数えられる栄誉を担うものである。

　曽侯乙墓は、岩坑竪穴木槨墓で、墓穴は不規則な多変形を呈し、方位は真南を向き、東西の長さは21メートル、南北の幅は16.5メートル、総面積220平方メートルに及ぶ。現存する墓穴は墓底までの深さ11メートル、穴底には木槨室が造られ、171本の、巨大な長い角材が敷き詰められた形で形成され、そこでは378立方メートルに上る材木が使用されている。木槨の最上部は、細いひごで編んだ筵、白絹、竹網が順番に敷かれ、木槨の上部及び槨壁の周囲は、約6万キロの木炭で覆われる形となっている。木炭層の上には、順に青膏泥、白膏泥、黄褐土で覆われ、その上大きな石板でふたがされた後、墓口まで五花土でつき固められた層が続いている。

　槨室は、東、中、西、北の四室に分かれている。東室には墓主の棺と八つの殉死者の棺、一つの殉狗棺、そして大量の漆器等が置かれ、中室には青銅製の礼器、用具、楽器等が、西室には13の殉死者の棺が、北室には兵器、車馬器、竹簡等が置かれていた。主棺と殉死者の棺の中には、それぞれ一体の人骨が残され、鑑定によれば、主棺内の人骨は45歳前後の男性、殉死者の棺の内の人骨は13〜25歳の若い女性のものである。

　墓中から出土した鋳鐘及びその他の器物上に記された銘文から、この墓の墓主が曽侯乙――『曽』は国名、『侯』は爵称、乙はその名である――ことが分かる。墓葬年代は、戦国時代早期、二千四百年余り昔のものである。

　曽侯乙墓は、その重要性から言って驚くべき考古学上の発見であり、考古、歴史、音楽、美術、科学技術等、様々な方面の学術的研究の価値を兼ね具えた遺跡なのである。

李苓　湖北省博物館群工部主任

謹厳優美な青銅礼器と用具

李 苓

　曽侯乙墓から出土した青銅礼器及び用具134件（礼器117件、用具17件）は、その殆どが墓の中室から発見されたものである。保存の状態も完全であり、総重量は2300キロである。

　曾侯乙墓の青銅礼器は、実際の用途により、炊食器、酒器及び水器の三種類に大分される。炊食器には鼎、甗、鬲、炉盤、簋、簠、豆、鼎形器、盒、匕がある。酒器には尊缶、联禁大壺、提鏈壺、鑑缶、尊盤、叙、過濾器、勺がある。水器には小口鼎、匜鼎、盥缶、円鑑、盤、匜、斗がはる。九鼎八簋は、文献上の礼制に関係する記載を裏付けている。

　青銅用具には炭炉、箕、漏铲、鎮、熏、勾形器、削刀、木柄銅凿、鹿角立鶴があり、その用途は広い。

　銅器のつくり、デザインは合理的であり、精巧で美しいものとなっている。鼎、簋、簠の形状は前代と同じであるが、酒器は大型化、実用化し、さらに精巧で美しいものへと変化している。2件の大尊缶は、全高1.26メートル，腹径1メートルであり、重さは各々292キロ、327.5キロである。これらの大尊缶は、先秦時代の青銅酒器としては、これまで発見されたものの中で最大、最重のものである。尊盤の口沿の附飾は非常に精緻なできばえで、全器の部品は72個にも達し、百ケ所を溶接してある。鹿角立鶴（霊鳥）は、前代未聞のものである。全器は、長方形の銅座の上に佇む一羽の銅鶴であり、最上部には鹿の角が刺してある。全長1.43メートル、重量38.4キロであり、鹿と鶴を配置させて一つのスタイルに仕上げ、吉兆をシンボライズしている。

　銅器の附飾は変化に富み、龍、獣、牛、鳥などをかたどって、脚、耳、取って、つる、ひもに著しい特色を持たせている。器物の紋様は豊富であり、とりわけ龍の紋様は変化に富んでいる。銅器の鋳造方法には渾鋳、分節鋳法及び熔鋳造法がある。銘文を持つ銅器は合計88件ある。

美わしく再現された先秦の古楽

程麗臻

　曽侯乙墓から出土した楽器には、鐘、磬、瑟、琴、笙、簫、篪の計八種、125件があり、中国音楽史研究の上での貴重な資料となっている。

　篪は、文献にもその記載が見られるもので、墓中から出土したのは12件、形は竹笛に似ている。篪の表面には五個の指穴と一つの吹口があり、音色は簫に較べ更に柔らかく、優雅である。此所より発見されたものは、これまで発見された最古のものである。

　排簫は、墓中より2件出土し、共に十三本の長さの不揃いな竹管を排列して出来ている。形は片翼形、出土時にもなお八種類の異なる音階を吹きならすことが出来た。

　笙は、墓中より6件出土し、12管、14管、18管の三種のものに分類出来る。笙笛内部の竹製

の舌は大小様々であるが、精細に作られ、舌と本体との間には、間髪程の隙間しか無い。

五弦琴は、棒状の形態で、先秦の墓葬中には殆ど見られないものであり、琴身には人物、動物等の美しい模様が描かれている。学者の研究によって、これは編鐘を調律する音階標準器「均鐘」であることが分かった。

琴は、墓中から12件出土し、共に二十五弦のものである。瑟碼は1358枚。瑟身にはそれぞれ漆によって絵が描かれ、瑟尾には、浮かし彫りの龍蛇の附飾がなされ、極めて精美なものとなっている。

又、出土品には他に、建鼓、懸鼓、柄鼓があり、その中でも建鼓は現在まで発見された同種のもののうち、最古のものであり、高さ3.2メートルの丸太に鼓腔があけられ、青銅製の鼓座の上に垂直に置かれている。

編磬は、あわせて32件の磬塊から成り、二段に分けて掛けられ、音域は三オクターブ、清明な音質である。磬架は二つの青銅製の首の長い怪獣を台座としている。

曽侯乙墓の編鐘はあわせて65件、その内には、楚王の鋳鐘一件が含まれる。出土時には、三層八組に分けられ、曲尺型の銅と木を組み合わせて作られた鐘架上に掛けられていた。上層の鈕鐘は19件、高澄な音質。中層の甬鐘は33件、主旋律を演奏するのに用いられ、下層の甬鐘は12件、伴奏に用いられる。出土された演奏用具は、装飾の施された6件のT字形の木槌と、2件の木棒である。鐘本体、鐘架掛け鈎には、象眼によって銘文3755字が書かれ、古代音楽研究の重要な資料となっている。編鐘の音域は広く、低音から高音までを遍くカバーし、古今東西の楽曲を演奏することが出来る。曽侯乙墓の編鐘の突出した特徴は、「一鐘双音（一つの鐘から二つの音が出ること）」である。各鐘の正面部と側面部では、それぞれ三度音階が異なる音が出る。この双音は瓦を合わせた形の鐘体によって生み出されるもの、この「一鐘双音」は古代技術者の非常に大きな発明であると言える。

曽侯乙墓編鐘の工芸技術は極めて高く、先秦青銅鋳造技術の集大成である。渾鋳、分鋳等の技術、又装飾上では円彫（立体彫り）、浮彫（透かし彫り）、陰刻（彫り込み）等の技術が用いられている。

曽侯乙墓から出土した楽器は、その種類の広範さ、数量の多く、製作の精微さ、保存状態の良さから見て、中国考古史上、極めて稀なものであると言える。

美と実用を兼ね備えた漆器

胡偉慶

　曽侯乙墓の漆器には、二組の殉死者の棺数十件の楽器類、無数の漆塗りの甲冑及び武器となる棒の他、生活用品などが合計230件あり、中国先秦の副葬品の中で最も数多く、保存状態の最も良い漆器である。漆器の種類は非常に多く、また用途も広く。

　野外での食事用の食器と酒宴用の食器

　食事や物を入れる箱、たかつき、桶、衣裳箱

　物を置いておくための案、禁、几、俎

　木製の玩具、観賞用の漆塗りの木製の鹿等。

　これらの漆器は実用的で見た目も美しく、器物の形状は実用性に基づき丹念にデザインされたものである。酒具箱、食具箱に納められている食器及び酒宴用の器具は、墓主が狩りをする時に野外で食事を取るためのものである。それらの漆器の中には、実用性に合わせ、芸術性をも兼ね備えたものもある。漆禁の表面には幾何学紋様が透かし彫りされ、その四方には龍の姿の飾りが施され、脚は小獣である。漆豆（たかつき）の二つの取っては龍の群れが浮き彫りにされ、華やかでかつ非凡さを見せている。漆木鹿は形も気魄も真に迫り、あたかも生きているかのようである。漆器の飾りは豊富で、色彩も鮮明であり、自然の風景の模様、動物の模様等がある。漆器に施された寓意の図画は、広く題材が取られ、史料も豊富である。衣裳箱のフタには「弌射図」の絵が描かれている。この神話伝説によると、古代の空には十の太陽があり、順番に昇っていた。一度に全ての太陽が昇ると、農作物は枯れてしまう。そこで后羿は九つの太陽を射ち落とし、人々のためにその害を取り除いた。もう一つの衣裳箱のフタの上には、天文のデザインが成され、古代人が星の運行に注意を払い、且つ四季の変化の法則を把握していたことを證明するものである。鴛鴦盒の両側の腹部には「撞鐘図」と「撃鼓舞蹈図」が描かれ、古人の音楽舞蹈の場合が映し出されている。

　曽侯乙墓漆器は、中国古代漆器芸術の卓越した成果を示し、古代漆器研究上、貴重な資料を提供してくれるのである。

記録上にしか
見られなかった幻の兵器

方　芳

　曽侯乙墓から出土した武器は合わせて4700余りであるが、大部分は北室から発見され、少数が東室から発見されている。戈は格闘用の武器の一つである。垂直の柄と横向きの鋭い刃を持ち、左右方向に攻撃し、突くこともできるし、後方へと引っ張っ殺すこともできるので、鈎兵器と呼ばれる。この墓からは合計66の矛が出土しているが、柲（柄）の部分まで完全に保

存されている。戈柲は平均長1.27～1.32メートルで、最も長いものは1.4メートルである。青銅戈頭の最大のものは全長30.7センチである。戈には全て銘文が刻まれ、その中の一つは曽侯乙の近衛兵が所持していたことが銘文からわかる。

　戟は長い棒状の武器であり、墓からは合計30ケ出土し、三種類の形状に分類される。一種は三つの戈和一つの矛が組み合わせられた三戈戟であり、他の二種は矛のない三戈戟と双戈戟である。戟には全て銘文が刻まれているが、これにより、いくつかの戟は墓主先君が使用していたものであることがわかる。

　墓から出土した殳には二種類の形状がある。一種は無刃殳であり、文献記載では楈殳とされている。合計14件あり、全長3.29～3.40メートル、みな両端には銅套と装飾を持つ。もう一種は有刃殳であるが、文献には記載がない。合計7件出土している。殳頭は三棱矛状であり、球状銅箍が柲で組み合わさったものである。

　矛は古代の「五兵」の中でも最も長い武器である。合計49件出土したが、そのうちの一件、東室から出土したものは、矛先が22.5センチ、全長2.25メートルである。その他は全て北室より出土し、矛先は平均11.5～12.5センチである。矛柲の長さは平均して4メートル余りである。

　墓中から出土した長杆兵器は竹によって覆われた木柲であり、長い木の棒を芯とし、外側を竹片、或いは藤皮で包み、それから絹糸で巻きつけ、最後に漆を塗ったものである。このように木、竹、藤等の材料を一体化することは、武器の棒を軽便で強固なものにし、かつ弾性を強め、剛柔を兼ね備えた、戦いに有利なものにするという利点を持つ。

　弓矢は遠方を射るための武器である。墓から出土した合計55件の弓は、全て木製である。矢じりは4507支出土している。三角形の矢じりは、かえしの部分の三つあるもの、六つあるもの、九つあるもの、そして、一つもないものに分けられ、双翼形の矢じりの端は長短及び幅の広さの区別がある。方錐形の矢じりは二支のみ、円錐形の矢じりは合計20支発見されている。方錐形及び円錐形の二種は殺傷力が劣るため、練習用であったとの見方もある。

　墓中からは人の甲13件及び馬冑二件が出土している。出土の時点で皮質は殆ど腐敗し傷んでいたが、漆塗りの部分は甲冑の形状がなおも保たれている。中でも馬冑の一つは完全な状態であり、馬の顔のように、目、耳、鼻等の部位には穴が残され、内面も外面も黒漆が塗られ、外部の彩色された模様は、非常に精巧で美しいものである。

　計49件に上る盾は、本体は皮質であるため、漆塗りの部分と柄の部分だけが残っている。

　墓からは合計76件の車軎（車輪の軸の頭を押えるのに用いられる）が出土しているが、38輌の戦車をシンボルして副葬されたものである。うち二件（一件は全長37センチ、もう一件は全長41.4センチ）は独特の形状を持った矛状車軎である。車軸に取りつけ、矛先の表面を地面と平行にすると、戦車が襲撃してきた時、敵の歩兵や馬を殺傷することができる。

　墓から出土した数百件の馬飾は全て金箔が施されている。

　曽侯乙墓から出土したこのような多くの武器と車馬器は、先秦の墓葬としては稀見のものであり、戦国期の歴史の様子を研究する上での重要な実物資料である。

金・玉で華やかに装飾された室内

楊　蕾

　曽侯乙墓から出土した金器には次のようなものがある。金盞一件、全高11センチ、口径15.1センチ、全重2156グラム。美しい外観を呈し、盞底は鳳首のようであり、ふた及び本体はとぐろを巻いたみづち（古代中国の角のない竜）、絢紋、雷の連続模様で装飾されている。盞の内部には金漏匕が置かれ、その重さは56.4グラムである。そして金杯一つ、78.79グラム。束腰形で、口が大きく底が小さい形状をなしている。金盞、金杯と2つの金器のフタは共に外棺の底に置かれていた。さらに金の帯がね4つが、曽侯乙の腰のところに置かれている。墓の東室とこの部屋からは、さらに940片の金箔、462の金のバネが出土している。これらの金器の金含有量は、測定によると85～93.6％である。曽侯乙墓は、先秦時代の墓葬としては、これまで発見されたものの中で、金の副葬品が最も多いものである。

　墓の中から出土した300件余りの玉器は、主に棺の中の墓主の身体の上に置かれており、完全な状態で保存されていた。これらの玉器は、主に、墓主が生前身につけていた玉や副葬品である。身につけていた玉は、璧、環、玦、璜、琮、方鐲、佩、掛飾、剣、管、帯鉤、人像、串飾などである。副葬品の玉は斂尸の玉であり、墓主の遺体を保護する役割を持つ。共に、琀、口塞、握、片、半琮、残器、璞料などで、合計64件である。墓主の口内に置かれたものは、牛、羊、犬、豚など玉製りの21件の小動物であり、豆粒大程のものである。

　玉器には、平べったい璧、環、璜などの他に、立体的に彫られた人形、動物等もある。最も珍貴である16組の玉飾りは、長さ48センチ、幅8.3センチ、厚さ0.5センチであり、5塊の玉から作られたものであり、さらに3つの玉質の活環を一つの釘でつないでひとさしにしたものである。折りたたんだり、ばらして身につけたりすることもできる。墓の金縷玉璜は糸状の金で二つの璜を継げてできたものである。

　曽侯乙墓の金器、玉器は精巧な出来映えで、目を奪うほどの美しさを備えた、古代の手芸職人の知恵と才能の結晶であると言えよう。

盛大な葬式の記録

黄小谷

　竹簡はあわせて240本、曽侯乙墓の北室から出土し、兵器、皮甲冑などと同一の場所に置かれていた。出土した時、墓の内部に水がたまっていたため、簡の上にあまれていた縄はもうくちただれていた。竹簡は多くは散乱していたとはいえ、保存状態は基本的に完全であった。竹簡の長さはそれぞれ72～75センチ、幅1センチぐらい。先に編みつなげられ、後に竹肉の部分に墨で字が書かれた。篆字は全部で6696字。筆跡はほとんど明晰に判別することが出

来、字体は先に発見された戦国の楚簡と同様のものであった。これはそれまで出土した戦国の竹簡の中で時代がいちばん早く、簡の数と字の数が比較的多かったものの一つである。

整理と研究が進むに従い、この一連の竹簡の主な内容は埋葬された車、馬、兵器とその贈物を記載したもので、遣冊と分類できる。主な内容は以下の三点：第一に、如何なる人が如何なる車を運転し、車の上に如何なる車馬器と兵器施設を備えていたかの記載。第二に、ある車の上に如何なる甲冑があったか。あるいはある人が運転したある車の上に如何なる甲冑があったかの記載。第三に、車と馬の贈り主について。

その一連の竹簡は2400年前の葬儀及び当時の車馬兵器の状況を知る上での重要な資料を提供するばかりでなく、曽侯乙墓の中の大量な什器を考察するうえで、重要な根拠を提供するものである。それ故、中国の戦国時期の歴史と文字の方面で重要な価値もつ、一連の貴重な文字資料である。

曽・楚両国の友好を記録した国宝──鎛鐘

李愛玲

曽侯乙墓の六十五の編鐘中、一個の鎛鐘がその下層中央に掛けられていた。これは楚国王から曽侯乙にあてた贈り物で、その来歴は極めて重要である。即ち、曽侯乙墓の年代及び墓主を確定し、曽、楚の関係を研究する上で、非常に資料的価値のあるものである。

鎛鐘の前面中央部には、31文字の銘文があり、内容は、紀元前433年に楚の恵王が曽侯乙の逝去したことを知り、特別に鎛鐘をつくり、西陽に送り曽侯乙を祭った、というものである。このことから、曽侯乙の埋葬年代は、戦国時代早期、今日より2400年余り前のものであることがわかる。

楚の恵王が曽侯乙に鎛鐘を贈ったことに関しては、以下のような故事がある。文献によれば、楚恵王の祖父、楚の平王が人の讒言を信じ、伍子胥の父と兄を殺害した。伍子胥は、呉国へ逃げのび、仇を討つことを決意した。そして、楚の平王の死後十年、呉国は、楚の郢都に攻め込み、平王の墓を暴き、平王の死体に鞭を打った。その時楚の恵王の父、楚の昭王は、随国（曽と随は一つの国である）へ逃げのびた。呉国は、随国に楚の昭王を引きわたすよう要求したが、随国はこれを拒否する。そこで、随国が父を救い、国を存続させたことの恩に報いるために、楚王恵は、特に鎛鐘を作り、曽侯乙を祭ったのである。曽国は、楚国の届けて来た祭器を重視し、元編鐘の中にあった最も大きい一つを取りはずし、その最も重要な位置に、楚王の鎛鐘をつるしたのがこれである。この珍貴な楚王鎛鐘は、楚呉戦争の血で血を洗う争いを経て、楚、曽の友好関係を記して、地中深く埋められ、代々相伝えられることとなったのである。

青銅器中唯一無二の珍宝——尊盤

王智慧

青銅尊盤は曽侯乙墓の中室やや東から出土した。これは、尊と盤の二つの単独の什器が組み合わされて構成されている。出土時、尊は盤の中に置かれており、両器は1セットのものであったと考えられる。尊は酒器、盤はそれを受けるものであり、両器は組合わさって、一つの趣を醸し出す。

盤は、高さ24センチ、外径57・6センチ、内径47・3センチ、中の深さは12センチ。盤の底には、四匹の対称的な龍の脚が盤足として附けられており、盤の縁の上には、四つの対称的な透かし彫りの四角形の取っ手が附けられ、その取っての両はじの下には透かし彫りの飾りが附けられている。

尊は、高さ33・1センチ、最大腹径145センチ、口径62センチ、縁は外側に向かって折り畳めるようになっており、透かし彫りの装飾が施されている。尊の頸部には、四匹の上昇しながら長い舌を吐く爬獣がある。

青銅尊盤は鋳型が美しく、透かし彫りの装飾が繁麗多彩である。器全体は渾鋳、分鋳、溶接等、多様な技術を用いてつなぎ合わされたものであり、器の本体は渾鋳、付属品は分鋳、透かし彫りの装飾は失蝋法で鋳造されたものである。青銅尊盤は中国で発見された失蝋法を用いて鋳造された什器の中で、最も早いものの一つである。

青銅尊、盤には、ともに銘文が彫り込まれ、尊の頸部の芭蕉の葉の両側には「曽侯乙作持用終」という七字が、そして盤の内底にも同じ文字が刻まれている。細かく見てみると、盤の中の文句はもと「曽侯遰」と刻まれていたのを、後に削り取り、その上に「曽侯乙作持用終」と刻んだものであることが見て取れる。このことから、この什器が曽侯乙の先祖伝来のものであったことが分かる。

ユニークな古代の
冷蔵庫——青銅鑑缶

任 虹

青銅鑑缶は出土した時、曽侯乙墓中室の束壁の中段に、あわせて2点、並んで置かれていた。両器は様式は同一、略ぼ同じ大きさで、保存状態は非常に良好である。器全体は大きな方鑑の内部に方尊缶が入れられたものである。方鑑は長さ76センチ、幅76センチ、通高63.2センチ、口径63センチ。方鑑には透彫の蓋が被せられ、蓋の中央部に一つの大きな方形の穴があって、方尊缶の頸部が入れられるようなっている。方鑑の底部の四隅には獣の形をした脚が四つ付けられている。方鑑の四辺には各々、龍を模した取っ手がつけられ、四周の外壁と口縁は、ともに透かし彫り或いは浮彫りの紋様で装飾されている。鑑内部の方尊缶には蓋が

あり、缶には頸部が無く、なで肩で、胴の下部は収束し、その底部には孔のあいた方形の脚がつけられている。方鑑の底部と尊缶の方形の脚との合わせの穴の部分には、弯曲した結び勾（拴勾）が付けられ、ぴったり尊缶足のはめ込み口に挿入される形となっており、その中の一拴勾は逆さ向きに着けられている。拴勾が挿入されると、逆さ向きにつけられた勾は、自動的に下向きとなり、全体を固定する役割を果たしている。

　青銅鑑缶の形態は特別なもので、鑑と缶の間にはすき間が作られているのは、この器に特殊な用途があるからである。当時の人は氷片を方鑑と尊缶の間に入れ、尊缶の中の酒を冷すことに用いたのである。それ故、青銅鑑缶は古代の冷蔵庫と称されている。又鑑と缶との間には熱湯を入れることも出来るため、温酒をつくるのに用いられたとも考えられる。

厳重に衛護された諸侯の寝室──主棺

　曽侯乙墓の主棺は、墓内東室の南西部に置かれていた。この棺、内外二重構造になっており、外棺は銅と木を組み合わせて作られ、長さ3.2メートル、横2.1メートル、高2.19メートル、重量約7トン；内棺は木製で、長さ2.5メートル、横1.27メートル、高さ1.32メートル、重量約2トンである。内外棺には共に全体に渡り漆絵によって覆われている。

　外棺の棺身と棺蓋は、それぞれ青銅の枠がはめ込まれた木板から作られており、現在までに発見された先秦時代の銅木構造の棺は、僅かにこの一件のみである。外棺の北部先端の下部には小さな四角形の穴が残されている。深さ34センチ、一辺25センチのこの穴は、古代人が死者の霊魂が出入り出来るように設計したものであると考えられる。外棺内部には朱の漆が塗られ、外壁には朱色の地に黄色で模様が描かれている。

　内棺は厚い木板を組み合わせ、ほぞによって作られている。その図案の模様は華麗で、内容は奇異、数多くの神人神獣が描かれている。格子形の模様の両辺には八体の人面獣身、手にはふたまたの戟を持った戦士が描かれている。文献の記載によれば、彼らは死者の遺体を護衛し、魑魅魍魎に殺害されるのを防ぐ方術官である。人面馬身と人面蛇身の姿態は、それぞれ文献に記載の見られる水を鎮める水神と、土を鎮める土伯である。蛇を喰らう猛禽の姿態は、死者の亡骸が蛇によって食われないよう祈るものである。

　内棺上には更に、死者の霊魂を天に導く神獣の姿態が描かれている。例を挙げれば、羽人──死者の霊魂が昇天するのを導く者；鸞鳳──死者の霊魂が昇天する際、御す動物；朱雀と白虎──死者の霊魂に従って昇天する吉祥の動物、といった具合である。この他にも内棺には、数多くの装飾が施され、色調は鮮やか、見事なシメトリー（symmetry）を成している。

　曽侯乙墓の墓棺は、巨大、荘重かつ色彩絢爛なものである。その多彩な装飾は人間と神々の世界を有機的に結合するものであり、我々の古代風俗研究の上で多くの重要かつ貴重な資料を提供してくれるものである。

青铜器
BRONZE WARES

42

1/尊　盘

Bronze Zun(*Wine vessel*)and Pan(*Plate*)

43

2/尊
Zun(*Wine vessel*)

3/盘
Pan(*Plate*)

5/簋
Gui(*Food container*)

6/鼎（束腰大平底鼎）
Ding(*Wasp-waisted and flat bottom tripod cauldron*)

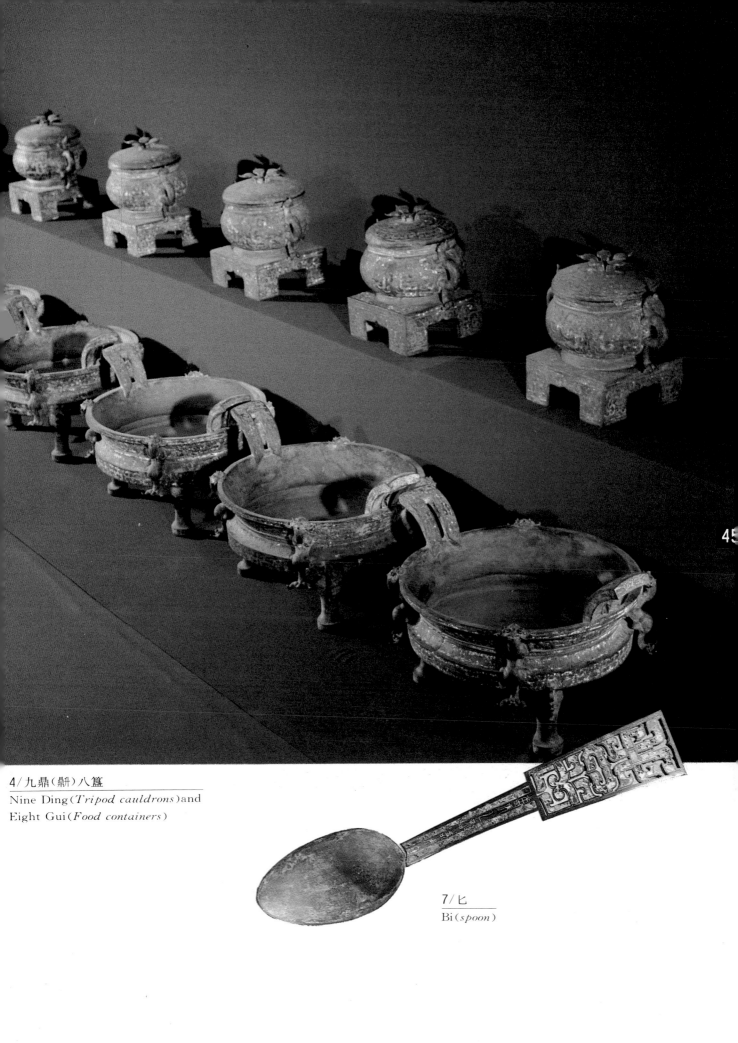

4/九鼎（鼒）八簋
Nine Ding(*Tripod cauldrons*)and
Eight Gui(*Food containers*)

7/匕
Bi(*spoon*)

8/镬鼎
Huo Ding
(*Cooking utensil*)

10/盖鼎牛形钮
Buffalo-shaped knob on the lid of Ding

9/牛形钮盖鼎
Ding with 3 buffalo-shaped knobs on the lid

11/簠
Fu(*Food container*)

12/甗
Yan(*Food steamer*)

14/盖豆（俯视）
Dou(*Food container*)
with a lid (*Top view*)

13/盖豆
Dou with a lid

15/小鬲
Small Li (*Rice bowl*)

16/鼎形器
Ding-shaped vessel(*Food container*)

49

17/炉盘（炉内盛有木炭）
Brazier with a plate(*Some charcoal in the lower plate*)

50

18/鉴缶
Jian Fou(*Wine vessel*)

19/鉴缶（俯视）
Jian Fou(*Top view*)

52

20/大尊缶
Big Zun Fou (*Wine jar*)

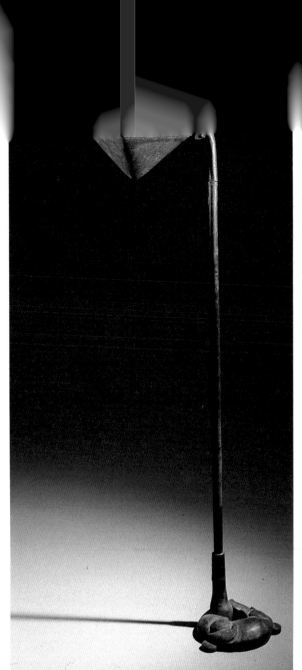

21/过滤器
Filter

22/过滤器立杆顶端衔斗兽首
Animal's head on the top of the vertical pole of the filter

23/罐
Guan(*Wine vessel*)

53

54

24/联禁大壶
Twin Hu (*Pots*) on one stand

26/提链壶盖
The lid of pot

25/提链壶
Hu(*Pot*)with chain handle

27／圆鉴
Round Jian
(*Water container*)

28／圆鉴提链龙形耳
Dragon-shaped ear on
the chain handle
of Round Jian

29／小口提链鼎
Small mouth Ding with chain handle

28

31/盥缶兽耳
Animal-shaped
ear on Guan Fou

57

30/盥缶
Guan Fou(*Water container*)

32/匜
Yi(*Water vessel*)

34/盘
Pan(*Plate*)

33/匜兽面形流盖
Animal face-shaped cover on
the mouth of Yi

59

35/匜鼎
Yi Ding (*used for boiling water*)

60

36／鹿角立鶴
Crane with deer antler

37／镂空筒形器
Tube-shaped utensil in
hollowed-out pattern

40／席镇（俯视）
Mat weight (*Top view*)

61

38／熏
Xun (*Censer*)

39／席镇
Mat weight

41/炭炉、箕、漏铲
Charcoal stove,dustpan,straining spade

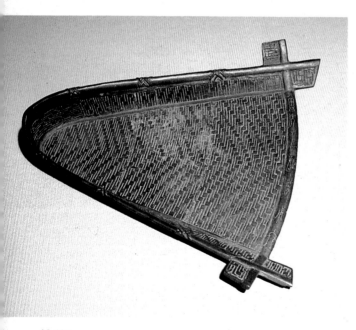

42/箕
Dustpan

43/漏铲
Straining spade

曾　　　侯　　　乙　　　墓　　　文　　　物　　　珍

乐 器
MUSICAL INSTRUMENTS

64

44/曾侯乙编钟全景

The set of bells from Zeng Hou Yi Tomb

65

45/编钟短架背面
The back of the short frame of chime bells

曾　　侯　　乙　　　珍

67

46/楚王镈钟
Bo bell presented by king of the Chu State

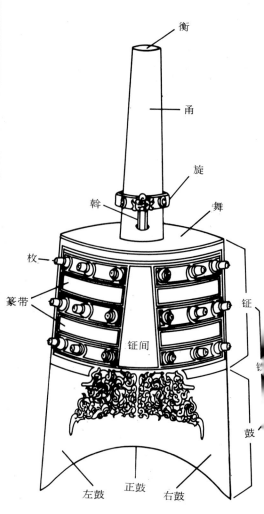

48/甬钟旋上猴头龙身钮的猴头
Monkey's head on crooked handle of Yong

衡
甬
旋
舞
斡
枚
篆带
钲
钲间
钲
鼓
左鼓　正鼓　右鼓

47/钟的各部位名称图
Figure identifying various parts of the bell

49/甬钟旋上猴头龙身钮（侧视）
Monkey-head.dragon-body knob on Yong bell (*Side view*)

50 铜铸型上人形柱（纹细部）
Bronze warrior-shaped post in the right corner of the lowest tier of the bell frame

51/编磬全景（磬块为复制件）
The complete set of stone chime (*Stones are reproductions*)

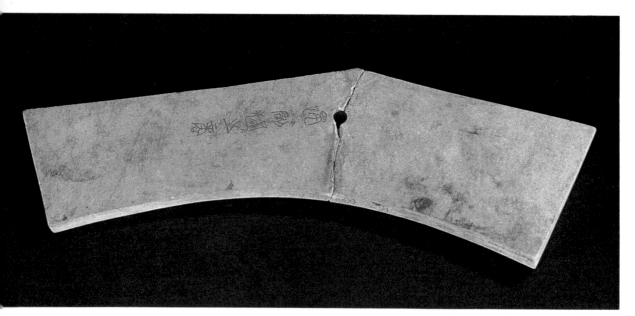

52/石磬
A piece of stone chime

53/编磬架怪兽立柱兽首
Imaginary animal's head on the vertical stand of the stone chime

54/编磬架怪兽立柱
Imaginary animal-shaped vertical stand of the stone chime

55/瑟
Se（A 25-stringed pulked instrument）

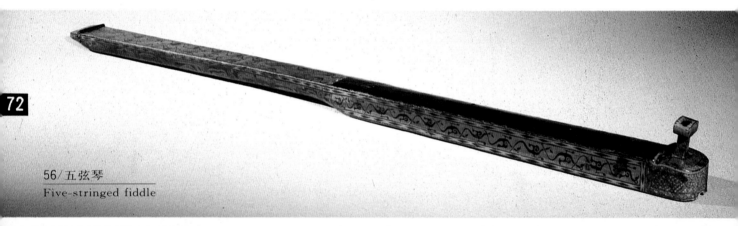

56/五弦琴
Five-stringed fiddle

57/五弦琴底面人形纹
Figure-shaped pattern on the bottom of 5-stringed fiddle

58/十弦琴
Ten-stringed fiddle

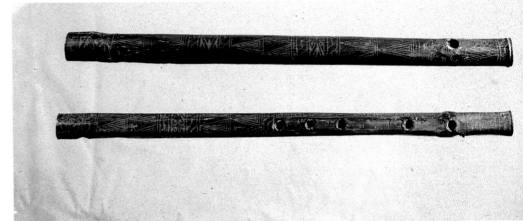

59/篪
Chi(*Bamboo flute*)

60/排箫
Panpipe

73

61/笙（残件）
Sheng(*Wind instrument，remained piece*)

62/有柄鼓
Drum with a handle

63/建鼓
Jian drum

64/建鼓座
Stand of Jian drum

漆 器
LACQUERWARES

76

65/盖豆

Dou(*Food vessel*)with a lid

66/鸳鸯形盒（左侧腹部撞钟图）
Pattern of striking bells on the left
belly of the mandarin duck box

67/鸳鸯形盒右侧腹部击鼓舞蹈图
Pattern of beating drum and dancing on the right belly of the mandarin duck box

78

68/盘鹿（复制件）

Deer in a coiling posture (*Reproduction*)

69/梅花鹿
Deer

70/杯形器

Cup-shaped vessel

71/豆形单耳卮杯

Dou-shaped cup with single ear

72/双耳筒杯

Tube-cup with double ears

73/案（复制件）
Table（*Reproduction*）

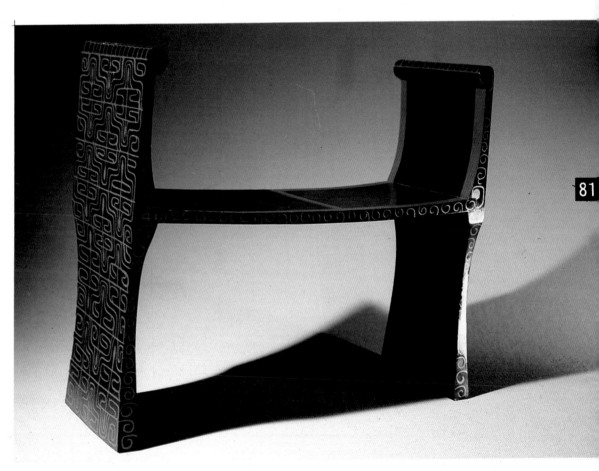

74/几（复制件）
Small table（*Reproduction*）

75/墓主外棺
Exterior coffin of the tomb owner

76/墓主内棺
Inner coffin of the tomb owner

77 内棺侧面局部纹饰
Partial design on the side of the inner coffin

79 内棺足挡局部纹饰
Partial design on the inner coffin

78 内棺足挡局部纹饰
Partial design on the inner coffin

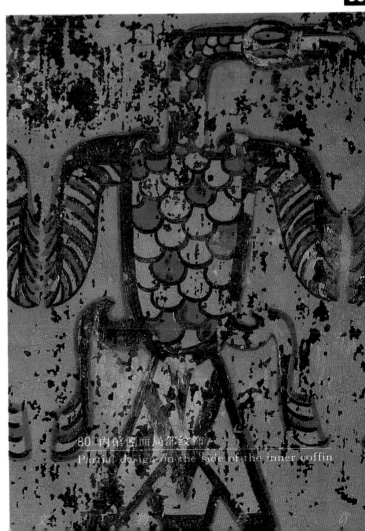

80 内棺侧面局部纹饰
Partial design on the side of the inner coffin

81/二十八宿衣箱
suitcase with lunar
mansions design

84

82/弋射图衣箱
suitcase with shooting design

兵 器 车马器
WEAPONS CHARIOTS AND HARNESS ARTICLES

83/三戈戟

Triple-daggered halberd

曾　　　　侯　　　　乙　　　　墓　　　　文　　　　物　　　　珍

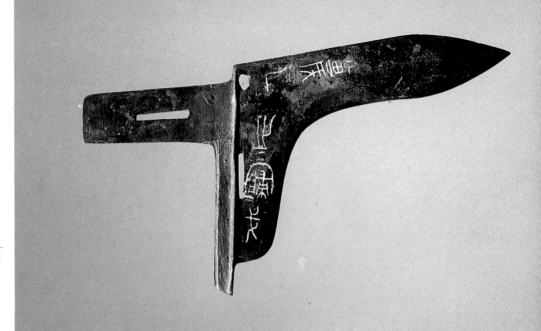

85/曾侯乙寝戈

Dagger used by Zeng Hou Yi

in the bedroom

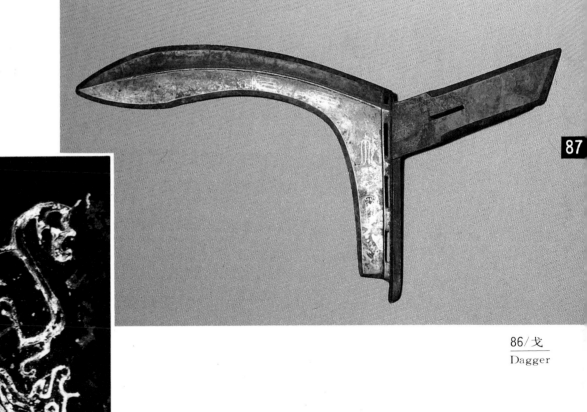

87

86/戈

Dagger

84/三戈戟首戈上的"曾"字形图徽

Emblem of the carved character"曾"on the triple-daggered halberd

87/各式箭簇
All kinds of arrowheads

88/殳
Shu(*Pike*)

89/各式矛
Various kinds of spear heads

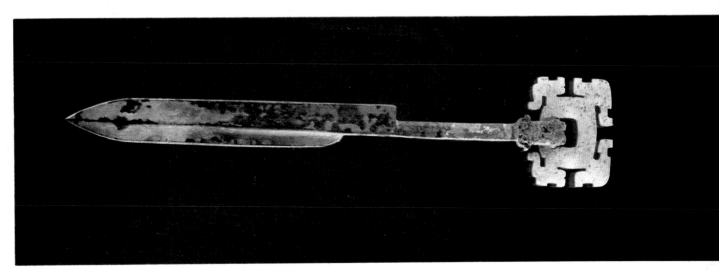

90/玉首削刀
Knife with jade handle

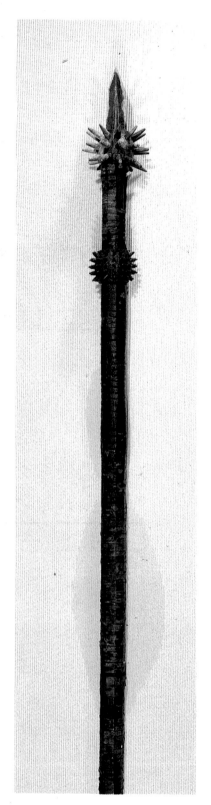

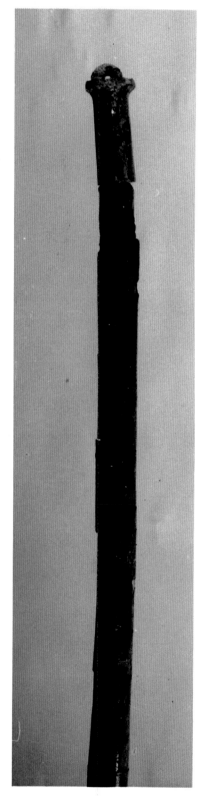

90

91/三戈戟（带秘）
Triple-daggered halberd(*with shaft*)

92/殳（带秘）
Pike(*with shaft*)

93/晋杸（带秘）
Jin pike(*with shaft*)

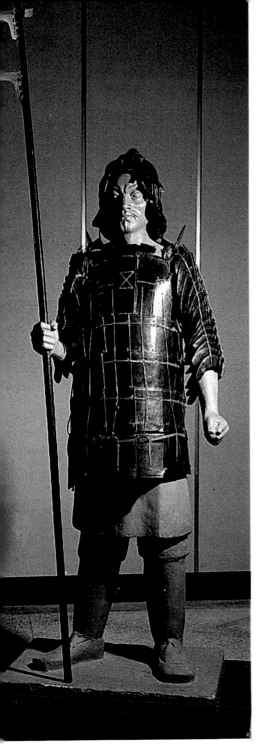

94/持戟披甲武士（复制件）
Warrior holding halberd in
leather armour (*Reproduction*)

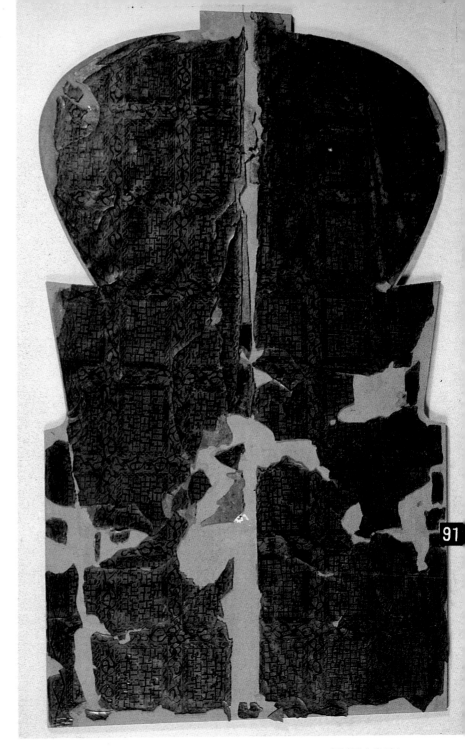

95/盾（残片）
Shield(*Remaining*)

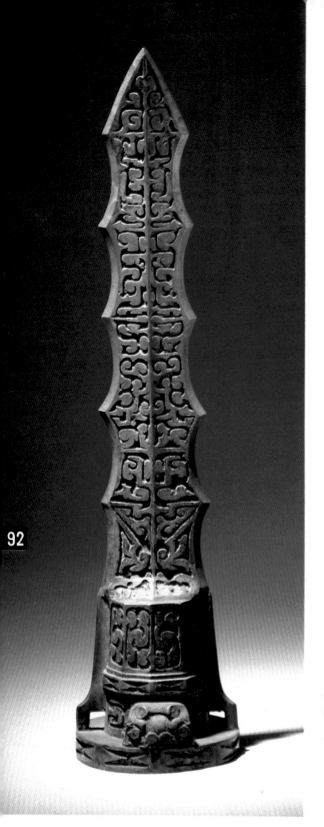

96/矛状车軎
Spear-shaped axle cap

97/矛状车軎
Spear-shaped axle cap

99/八棱形车軎
Eight edge-shaped axle cap

98/车軎端面纹饰
Pattern on axle cap

93

100/带方环圆形车軎
Round axle cap with square circle

101/圆形车軎
Round axle cap

102/马胄（复制件）
Horse helmet（*Reproduction*）

103/马衔、马镳
Horse bits, horse bridles

金 器　玉 器
GOLD AND JADE WARES

104/金盏、金漏匕
Gold bowl,gold stranining spoon

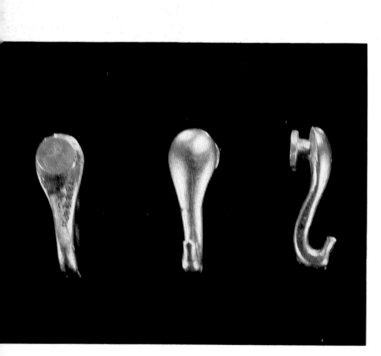

105/金带钩
Gold belt hooks

106/金弹簧
Gold springs

曾　侯　乙　墓　文　物　珍　赏

107/金器盖
Gold lid

108/金杯
Gold cup

109/玉璧

Jade Bi(A round flat piece of jade with a hole in its center)

110/玉琮

Jade Cong

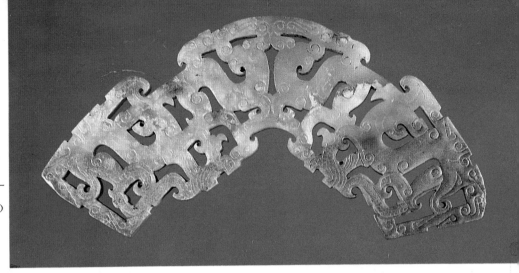

111/透雕玉璜
Jade Huang
(*Semi-annular jade pendant*)
carved in openwork

112/金镂玉璜
Jade Huang decorated
with gold thread

99

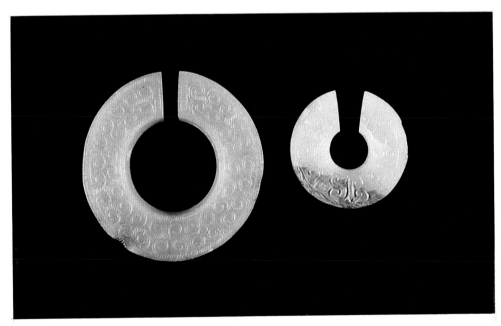

113/云纹玉玦
Jade Jue(*Penanular jade ring*)with cloud patterns

114/谷纹卷龙佩
Dragon-shaped jade pendant
with grain patterns

100

115/四节龙凤玉佩
Dragon and phoenix-shaped jade pendant in four sections

116/素面蟠龙玉佩
Dragon-shaped jade pendant

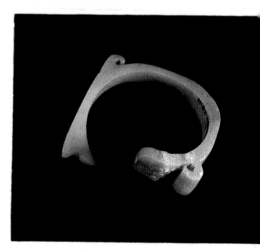

117/圆雕玉龙佩
Dragon-shaped jade pendant

118/十六节龙凤玉挂饰
Dragon and phoenix-shaped jade pendant in 16 sections

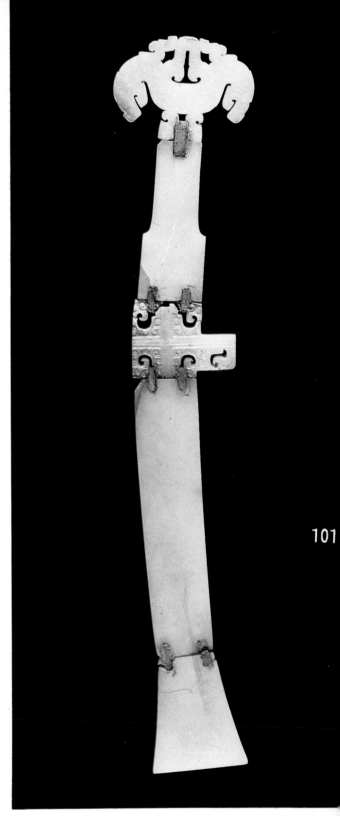

101

119/玉剑
Jade sword

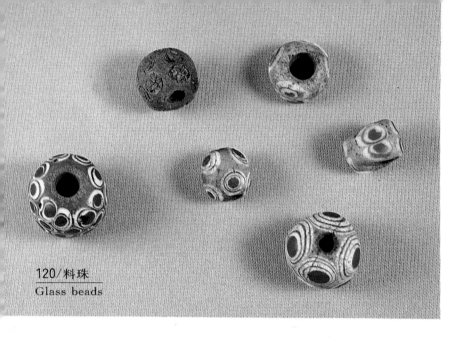

120/料珠
Glass beads

102

121/料珠
Glass beads

122/玉人
Jade figure

123/玉梳
Jade comb

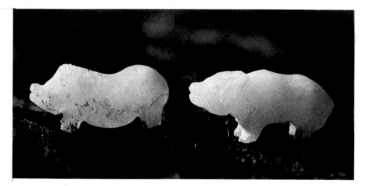

124/虎形玉佩
Tiger-shaped jade pendant

125/玉猪、玉牛
Jade pig，jade buffalo

编者/湖北省博物馆
编辑/李 苓 胡伟庆
责任编辑/肖佳松 孔 艺
摄影/潘炳元
装帧设计/宋 秋
英文图版说明/黄小谷
英文翻译/刘洪权
日文翻译/许道胜
Edited by Hubei Provincial Mesuem
Editor Li Ling Hu Weiqing
Duty Editor Xiao Jiasong Kong Yi
Photographer Pan Bingyuan
Designer Song Qiu
Plate Explanation in English Huang Xiaogu
Translation in English Liu Hongquan
Translation in Japanese Xu Daosheng

鄂新登字 06 号

图书在版编目（CIP）数据

曾侯乙墓文物珍赏　李　苓等编著

Zeng Hou Yi Mu Weng Wu ZHen SHang

—武汉·湖北美术出版社，9506

ISBN 7—5394—0583—X/J·508

Ⅰ.曾⋯

Ⅱ.李⋯

Ⅲ.中国艺术—美术考古

Ⅳ.J·18

曾侯乙墓文物珍赏

湖北省博物馆　编

湖北美术出版社出版发行

中外合资襄樊飞环印务有限公司制版

中外合资无锡雅迪印刷有限公司印刷

1995 年 5 月第 1 次印刷

285×210 毫米　6.5 印张　128 幅

ISBN7—5394—0583—X/J·508